健康新概念

New concept in health

全图解双色版

来自长寿国度的健康功课
开启人体穴道潜能的经典处方

（日）伊藤俊二／著

何英／译

Zudao

神奇的阿尔法波放松疗法

SHEN QI DE A ER FA BO FANG SONG LIAO FA

足道

传统医学
保健专家郑重推荐

掌握要领 健康在握

百病百疗 便捷省钱
读完本书 无师自通
★★★★★

新疆人民出版社

K

图书在版编目(CIP)数据

健康新概念：足道、手道/(日)伊藤俊二著；何英译.-乌鲁木齐：新疆
人民出版社,2004.1

ISBN 7-228-08435-7

Ⅰ.健… Ⅱ.①伊… ②何… Ⅲ.①足—按摩疗法(中医)
②手—按摩疗法(中医) Ⅳ.R244.1

中国版本图书馆 CIP 数据核字(2003)第 103239 号

策　　划:王　晗
作　　者:伊藤俊二　著　何英　译
责任编辑:张卫新　梁　越
出版发行:新疆人民出版社
社　　址:新疆乌鲁木齐市解放南路 348 号(830001)
印　　刷:北京中科印刷有限公司
经　　销:新华书店
开　　本:920×660 毫米　1/16
字　　数:350 千字
印　　张:36
版　　次:2004 年 1 月第 1 版　2006 年 10 月第 2 次印刷
书　　号:ISBN 7-228-08435-7
总 定 价:36.00 元(全二册)

足的危言

你知道我们的脚在人类历史的前进中做出过多少贡献吗？

知道我们的脚为人类创造了多少光辉的历史？

我们的脚曾经走过雪山，越过草地，曾经从远古的蛮荒时代把我们带到现代文明的今天，不可否认我们的脚是我们人类成就的先驱，也是我们人类在漫长的道路上取得成就的功臣。今天，让我们来看看我们的脚吧！

——我们的脚在悄悄地发生变化，它变得狭长而单薄，它变得娇柔而寂寞。在舒适的鞋与舒适的袜子中它成了一个见不到阳光与大地的寄生物，它终年龟缩在各种各样的精美的鞋中，它已经丧失了徒步万里的雄心壮志，也丧失了与大地的砂粒和大自然中的荆藜为友的豪迈，我们的脚越来越脆弱，我们的脚在渐渐失去脚的功能，这种功能的丧失所殃及的将是我们的全身健康……

是什么在改变着我们的脚呢？

由于我们今天的生活中充满了许多不必使用脚的东西。如汽车、自动扶梯、电梯，各种各样舒适的鞋袜，平坦的道路等等，就是这些东西导致我们的四肢正在退化与萎缩。美国哈佛大学灵长类研究所的人类学者弗朗先生指出：

——人的四肢的进化是在一万年前完成的，可是随后正在走向退化。

弗朗先生曾悲观地预测人类的脚如果一直在平坦的道路上行走

下去，如果这种情况得不到改变，在将来的一天脚将失去行走的能力。

医学家也呼吁：肌力的衰退是四肢的最先衰退。锻炼四肢并有意识地触摸四肢的有效穴道是防止衰老，祛病防病的最好方法。针对这个问题伊藤俊二先生在大阪的多所学校对数千名小学生进行了赤足教学实验，让这些孩子们赤着足在砾石与冰雪中奔跑，通过训练的孩子他们的体能与智力都大有提高。伊藤先生从实验中深刻认识到东方的穴道按摩疗法可以让人从健康的困境中走出来，只要长时间对足部的有效穴道进行刺激与按摩，人将会变得强健。

伊藤俊二先生根据多年的研究与探讨，再结合长寿国度的长寿经验。并且结合阿尔法波的健康学说，寻找到了人类放松的最佳方式。

我们知道阿尔法波是一位伟大的音乐家，他所创作出的音乐总是那么的平静、安详与舒缓，给人以轻松快乐的感觉，他的健康用品与健康理念风靡全球，有人认为他的音乐是抚慰人类心灵创伤。驱走疲劳获得健康的良药。伊藤俊二先生通过数十载的研究发现阿尔法波的音乐与古老东方的按摩术与这种音乐有许多相似之处。通过这种按摩可以达到使人身体放松，让人的精力得到恢复。通过对穴道的刺激还能达到祛病强身的效果。

通过数十载的推广，伊藤先生的成果在东南亚以及西方国度得到推广，这些成果并成为家庭和众多理疗中心的经典处方。

Contents ▷▷▷ 目 录

第1章　脚对人的重要性

一、脚的构造

人体的下半身叫做"下肢"，脚由众多的下肢骨所构成，如图1-1，而且还有众多的肌肉附着在上面才构成脚的形状。

承接天地之灵，运载人体之重，只有明白了它的重要性，你才会倍加珍视于它。

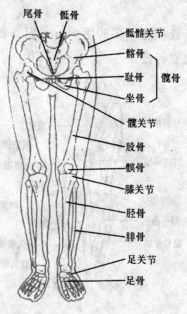

尾骨　骶骨

骶髂关节
髂骨
耻骨 } 髋骨
坐骨
髋关节
股骨
髌骨
膝关节
胫骨
腓骨
足关节
足骨

图 1-1

为了直立行走，脚必须能够支撑全身的重量。因而脚的骨骼比手的骨骼大，而且骨骼非常结实。骨与骨之间由关节相连接，这个部分也具有能忍耐大的负荷的构造。

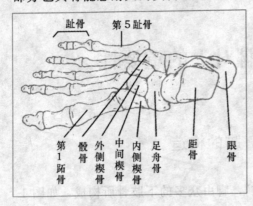

图 1-2　脚的骨骼

普通所称的脚（脚骨），如图 1-2 所示，具有由复杂的骨骼所形成的拱形，它具有减缓冲击的作用。由这个拱形形成的"脚弓"，具有重要的功能。

下肢的肌肉大体分为四块：髋肌、大腿肌、小腿肌和足肌（参见图 1-3）。除此之外，还有肌膜、韧带、关节囊、骨液鞘等许多的组织，它们各自起着不同的作用，合在一起形成了直立行走。

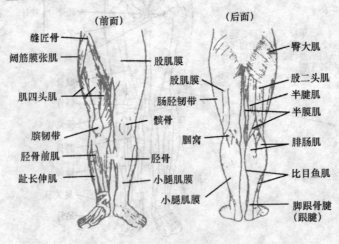

图 1-3

二、两脚直立行走的控制系统

人的大脑控制脚的各组成部分，使脚能平稳行走。人从刚生下来，几个月后能够站立，到能够很自如地走路，以及跑步。对这些行为进行正确地、微妙地控制的都是大脑所进行的。

人的运动由大脑及反射中枢等神经系统和肌肉、骨骼系统二者的协调来实现。不管大脑怎么希望进行这些运动，如果不给神经系统传达正确的信号，肌肉也不收缩，运动也是无法进行的。

神经系统的功能主要是反射与运动控制，其中与保持直立姿势关系密切的是姿势反射。姿势保持机能在某种意义上是生物体的恒常性（体内情况稳定）功能，即使生物体保持一定状态的功能。这个功能并不是单纯的反射，而是根据生物体力学上的不平衡状态，可以适时地进行各种调整。肌肉的动作也是这种调整功能之一。

人为了维持这种不稳定的直立姿势，很多的关节必须紧紧地固定在一起，肌肉必须保持适度的张力，而且还要具有柔韧性。

为了两脚能直立步行，首要条件是保持直立姿势的神经系统必须十分发达，受神经支配的抗重力肌也应具有很好的功能，可以说这是人能直立行走的基础。

三、维持平衡的系统

人的姿势由图 1-4 所示的系统约束维持。

通过内耳的三个半规管可以感知三维重力加速度，通过视觉可以知道上下；通过抗重力肌可以获得重力作用方向的信息。

这些感知到的信息在小脑里进行综合，而后被送至大脑皮层的

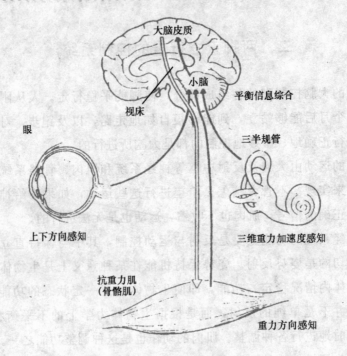

图 1-4　人的平衡系统

运动区。运动区根据这些信息对体重的平衡分配进行瞬时的判断，并向脚的肌肉传达适当的指令。

脚动员起骨、肌肉、关节及其他组织，按照指令进行动作。

动作的情况又被立即反馈回脑部，这样，流畅的稳定的步行或跑步就可能实现了。

具有脚弓的健康的人脚，可保持拱形状态，柔软地支撑着负荷。

出脚行走时的过程是，首先是从脚趾前端"伸脚"，随后"运脚"，而后"着地"。这就是正常步行（扇动步行）的三阶段动作。身体的重心伴随步行而移动，重心先是在脚后跟，然后沿脚外侧移至跖骨头，再移动至大拇趾的根部（图 1-5）。

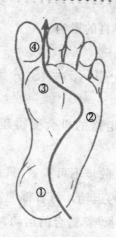

图 1-5　步行时重心的移动（扇动步行）

四、步行的重要性

不走路是万病之源。

"步行越来越少"是现代社会的重要特征之一。两脚直立行走不仅仅是人的基本动作，除身体有问题的情况外，多用脚、多步行是人类生活中最基本的事情。

人身体上大约有 650 种肌肉，这些肌肉其中的 2/3 是长在腰以下的部位。因此，多使用脚，多按摩脚，也就能够有效地锻炼肌肉，达到健体的作用；不使用脚的影响不仅仅是脚，而是影响全身。医学家认为，不走路也是万病之源。

脚上集中了许多肌肉，因而也布满了为数众多的血管。

运动脚部肌肉时，由肌肉的收缩而牵动血管，从而促进血液循环。因此，布满了为数众多的血管的脚也被称作第二心脏。如果束缚了脚的自由，不对其进行适当的运动与刺激，将会血行不畅，结果对全身的健康就会有不良的影响。

五、一万步＝45 分钟按摩

随着科技的进步，走路的机会变得越来越少是一个非常大的问题。

寿者的秘诀："每日散步不可少。"只要不过分，都应参加一些不给身体增加过重负担的运动，每日都能实行轻松的"步行"或脚部按摩，是男女老少，对谁都适合的运动。

那么，问题是，到底步行多远按摩多久好呢？答案当然是应该因人而异，但所消耗的热量可以当作一个标准。

首先，步行所消耗的热量，若以普通的速度步行，则以 0.5×体重（公斤）×距离（公里）计算。普通速度是指，以身高减去一米的长度为步长，一分钟步行 80 米的速度。

另一方面，人摄取的过量热量约为一天 300 大卡（1 卡≈4.18 焦，下同）。因此，若以体重为 65 公斤，身高为 1.65 米的人为例，则为了消耗掉这多余的 300 大卡，每天必须步行 9230 米左右或按摩 45 分钟或 60 分钟为最佳。

平均来看，若以按摩 45 分钟为计或 33 步消耗一大卡计算，也可记为"一日一万步"。

但是，大多数上班族的平均步行量为每天 500 步左右，不更努力地行走是到不了 1 万步的。

六、打赤脚为健康

随着生活的发达，物质的丰富，为什么今天的人们的脚会如此纤弱呢?

现代的孩子们之所以脚的运动能力低下,以及脚弓形成迟缓,科学家认为其原因是(所谓)高度发达的文明自身所带来的后果。

对过多地强调现代文明带来的诸多方便,并非都是好事,在我们的意识中都认为"穿鞋的是文明人"。但现代人的脚变得纤弱正是因为穿鞋,以及被过度保护所造成的。

健康的本质正是为了提高生命质。锻炼脚不仅仅是为了站立和步行,也正是和提高生命质量相关联。恢复人类曾经有过的强健的脚,对健康也是非常重要的。

在现代,赤脚踩在大地上的机会几乎没有了。人类可以通过另外一种手段来获得足部的健康,通过按摩来达到这种效果。

为了这个目的,首先考察一下脚与健康的关系。

七、刺激脚部与健康

脚是运动感觉的根本。人在步行或跑动,即在运动时,来自全身感觉器官的各种各样的信息被送至大脑或反射中枢神经,将这些信息进行快速处理,以对身体的动作进行控制。此处所说的感觉器官,包括作为五官的视觉、听觉、嗅觉、触觉、味觉,即眼、耳、鼻、指、舌。但是在运动的时候,脚掌的触觉起着很大的作用。

脚掌获得的感觉信息,并不只是接触的地面的状态,比如平坦还是凹凸、硬还是软、倾斜还是笔直等等。直立姿势的位置关系等也源源不断地输入中枢神经。当这些信息充分地输入之后才会使比如步行等成为可进行的运动。

除此之外,脚掌还有刺激自律神经的作用。

身体的反射机构之一是所谓体性自律神经反射。它的作用主要是根据对皮肤等的刺激而输入的感觉刺激（体性感觉刺激）反射性地使自律神经起作用，提高它的机能、使大脑更好地工作。

利用干布摩擦刺激皮肤，或者用手指或异物刺激足底，从而提高内脏机能、克服变态反应就是这个道理。此外，大脑疲劳而发困的时候，拍打面颊以驱赶睡意，也是体性自律神经反射的应用。

八、脚是人的第二心脏

脚是人的第二心脏和大脑，这个结果可以说是对皮肤的直接刺激可整备自律神经功能的好的旁证。

人用两只脚站立，脚掌经常受到刺激。即站立姿势时是处于来自脚掌的体性感觉刺激的输入状态。若这种观点更进一步的话，踏青竹或灸术、按摩之类的健康法，是完全有效果的。

总之，打赤脚的活动会对自律神经、内分泌系统（荷尔蒙）产生积极的影响，而且对孩子成长发育及智能的发达等都有关系。

脚是人的第二心脏。伴随着脚的肌肉的伸缩，血管正好被捋动，从而促进了血液的流动。这样对于将血液输送到直至全身的末梢神经的各个角落起到不可缺少的作用。使用脚即可减轻心脏的负担，这对预防中老年人的一些常见病很有好处。

九、脚是异常是全身异常的信号

现代西医学重视"得病的部分"，即只看到发病或受伤的"部分"，而很少去观察身体的整体状况。但是，医学家们认为所有的疾病或异常都与脚有密切的关系。发病的决不只是身体的某一个部分，而与身体整体都有关系。

　　脚的异常与全身的疾病有密切的关系这一观点的基础之一是，老人的脚恶化之后的变化是最显著的。

　　因肥胖或受伤而脚痛入院的老人，躺在床上之后，内脏功能逐渐低下、严重的引起脑功能低下而变成"只睡"的情况并不少见。这已成为从事医疗临床的人们之间的一种常识。尽管本来只是因脚的毛病而入院，不知不觉地，其他功能也低下结果是引起了全身的异常。

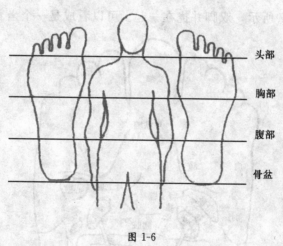

头部

胸部

腹部

骨盆

图 1-6

　　如果单纯是全身的肌力降低的话，不被使用的肌肉逐渐萎缩也可以用生理学的"废用性萎缩理论"来解释。但是，在健全的脚的功能丧失的情况下，它与全身的异常或疾病是相联系的。

　　对于这种联系，医学家们认为：由于某种原因致使脚痛、恶化。于是，此人的行动被限制、代谢变少。结果是与呼吸及循环有关的各种身体机能也变得低下。

　　身体的各个器官处于消极怠工状态，因此，本来必要的各种功能一律降低。当然，免疫功能也下降，从而容易患感染症或其他疾病。即使没患疾病，由于身体功能整体低下的倾向，也不能维持本来的那种健康、精神的状态，这就是其过程，从这种事例中，不能不引起人们的注意。

双脚反射区共有 62 个，记住这些反射区的相对应位置是捶疗的基本功之一。这些反射区的位置是有其规律可循的。我们可以用下面几幅示意图说明足部反射区的定位，以便记住和掌握这些反射区位置及名称编号。

如图 1-7 所示，双脚并拢在一起。可以看成是一个坐着的人形。

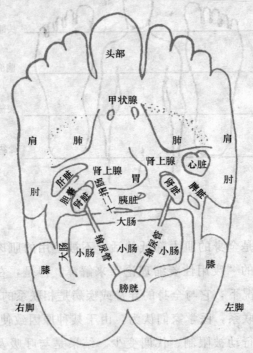

图 1-7

十、脚与大脑的关系

在人体中脚与头相距最远。可是，我们已经知道，物理上分开了相当距离的两者实际上是大大地靠近，关系非常密切。脚与头，即脚与脑，具有远在模糊不清认识之上的直接联系。

通过活动身体可以使头脑变得灵敏，或者出现其他的灵感，这是我们在日常生活中屡试不爽的。准备考试的紧张复习中或工作中卡壳或喘不上气来的时候，一般习惯去"换换脑筋"，即出门散散步，或作些轻松的运动。于是，恼人的问题会迎刃而解，或者干劲儿又上来了，这样的经验大概谁都会有吧。

经常也听到伟大的科学家、哲学家或艺术家等等喜好散步这样的逸闻，在今天，我们常常见到那些腰缠万贯的老板进了洗脚室，他们会在洗脚或散步途中会出现灵感，成为伟大业绩的发端，或发现的开始。即通过运动脚，对离脚最远的大脑产生刺激、使其灵活运转，其结果就有了灵感或发现，这样的解释是没有错的。

曾有这样一个例子：在某个病院准备测定老年患者的重心动摇。可是，患者中出现了在测定装置规定位置不能两脚并拢站立的人。仔细观察发现，这样的患者是大脑已经开始有所谓迟钝表现的人。即在规定的位置上仅靠自己的力量已不能将两脚准确地并拢站立，这并不仅是肌肉衰弱等功能的问题，而与脑的老化有密切的关系。

如若一个劲儿地伏在桌上"工作！工作！"大脑不会灵活地运转。这样的工作人员，实际上工作效率并没有明显的提高，这是真实情况。

十一、赤脚按摩使大脑活化

有一项伟大的实验"赤脚使大脑活性化",虽然当初并未把它作为假说,但随着研究的深入,以及从赤脚教育的实践中,看到在全国众多的幼儿园、保育院、小学以及中学所取得的成果,逐渐地与为了现实的观点。

脚掌上汇集了众多的感觉器官,实质上是非常精细的部位。稍微夸张一点,可以说脚掌是感觉的露出部位。对其进行刺激,刺激将会原原本本地直接传达到大脑,这是当然的事。

对这样的刺激有感触且很了解的是正在进行赤脚实践的孩子们。他们打赤脚后用语言表达出来的感觉是"脚掌痛"、"心情舒畅"、"地粗糙"、"脚变得自由了"……可以说大人也会是同样的。

首先是"痛",然后是随之而来的多数会感到"心情舒畅"。这是由肌肤感觉到的对大地的感觉所直接表现出来的结果的变化。紧紧踩在大地上的这种实感被脑接收,有自己变得自由了的感觉是很重要的。踩在大地上、尽量来回跑动的感觉是穿上鞋所体验不到的。

有很多人说对足部进行按摩后会有实在的直接的清楚的感觉。都知道的感觉有睡意消失、头脑清醒。这正是赤脚刺激大脑使其活性化的结果。

十二、足部进行按摩与刺激后的效果

(1) 觉醒功能:使头脑进入完全兴奋状态;

(2) 信息处理功能:信息的接受、记忆、处理;

(3) 意图行为功能:支配注意力、集中力、意欲等。

十三、足部与全身各部位的关系

　　足部有与人体各器官相关联的反射区或敏感点。器官有病变都可以在相应的反射区和敏感点发生变化。如心脏缺氧时，可表现为足部心脏反射区有触痛感。痛感这样的信息被我们利用便可以诊病。

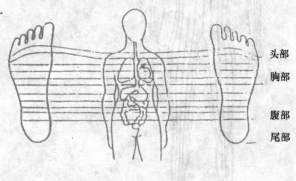

图 1-9

　　而捶拍足部某一反射区时，通过神经反射作用与其相关器官或部位发生联系。这种联系是通过人体内有生命力的神经细胞完成的。该部位如果是肌肉组织可能会改变其收缩功能。如果是心脏可能会调节其心率和心肌收缩力。如果是消化道便可能调节其蠕动情况等。这个被调整和影响的部位和器官，如果有病可能通过刺激足部相关反射区，使有病的器官减缓病情或恢复正常功能。一般来说，刺激足部反射区时，相应器官有双向调节作用。总之，刺激反射区后通过神经反射作用使机体向着接近正常水平的方向变化。

　　当捶拍时在足部反射区产生的较为强烈的刺激传入中枢，阻断了相应器官原有的病理冲动，导致病理信号被人为捶击所产生的信号所取代，所遮掩，这也是通过反射所起的作用。

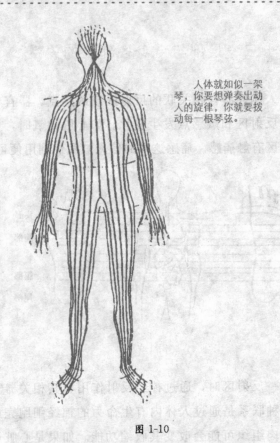

人体就如似一架琴，你要想弹奏出动人的旋律，你就要拨动每一根琴弦。

图 1-10

十四、一项了不起的实验——赤脚教学

让孩子从进学校到放学为止一直打赤脚。原则上教员也是打赤脚。虽然在屋内可以穿上本地区的老人手工制作的"草鞋"，一整天完全是赤脚过的儿童也不少。校园的一部分作成了丘状林地，休息时在这里玩耍时也是赤脚。不用说，运动会上，以及气温在零摄氏度以上的冬天都是彻底的赤脚。

对儿童进行赤足测试，他们的成绩是出类拔萃的。几乎所有的儿童，不管是星期几，从早晨开始其闪烁值都是高的。赤足的孩子与一般小学校的儿童相比，他们从早晨开始就呈完全清醒的状态。其身心也应是一同维持在最佳状态。

十五、赤足的孩子不易受伤

由于在学校的生活几乎都是打着赤脚过的，可能有人会担心，想必受伤的会很多吧。

孩子在刚入学的时候有小伤口或扭伤等麻烦，但随后逐渐减少，随着学年的增高，与其他学校相比其结果是受伤的发生率大幅度下降。

来自脚掌的日常的刺激，与其说有某种作用，不如说起着主要的作用并产生结果，道路上布满了小石头或小圆砾石。脱掉鞋试着步行时，疼痛难以忍受。但只要长期坚持去走，就没有痛的感觉了。

这是由于来自脚掌的不间断的刺激使大脑活生化，神经变得敏锐，身体变得敏捷的缘故。

十六、赤脚的效果——足部刺激与脑波

脑波不仅仅是意识方面的，来自末梢神经的各种刺激也会引起它的变化。在各种各样的刺激中，脚掌有关的刺激会产生怎样具体的变化。特别希望知道的是，连续的刺激脚掌所引起的脑波变化。

最近，脑波中的阿尔法波正在成为谈论的话题。被谈论的多是阿尔法波的松弛等作用，实际上有各种各样的阿尔法波按摩器在市场上销售。"阿尔法波音乐无忧无虑钢琴小品集"的 CD 唱片，听着它果然有一种心静放松的感觉。

通过对脚掌的刺激是否也可以得到这样的脑波。

对孩子进行赤脚教育实践的地方的孩子们，总的来看都有镇静及忍耐力强的特征。

十七、通过足部刺激来培养孩子的集中力

为了培养儿童、学生有一个对学习的集中度，达到认真听课的忍耐时间。当然，幼儿或低年级儿童的注意力集中度小、忍耐时间也短，有数字表明小学校低年级学生的集中限度仅仅只有15分钟（关于具体数值也有其他的多种说法）。即年龄越低，集中度越小、而且忍耐的限度也短，这是个世界性的常识。若能认识到对低年龄儿童的指导的困难程度可能就容易理解。

在超出教育界的常识以外的长时间里都能作到集中和忍耐。为什么能做到这样？这也是由于脚掌（赤脚）刺激与脑的活性化的密切关系。这是我的着眼点，并且非常自信。

人通过某种程度的训练集中力可被延伸，而且忍耐力能够提高，这是事实。修行僧的修行生活就是一个很好的例子。他们在应该说是非合理的食物及活动安排中，也能够不迷失自我地达到目的。但是，无论如何他们几乎都是成人，与幼儿或小学校儿童具有根本的差别。

那么，为什么孩子们可能有使大人都自愧弗如的集中与忍耐呢？最相称，且合乎道理的回答是，由于脚掌刺激使脑（即精神）的活性化带来紧张。

训练中自然而然地有界限，而强制是绝对不能长久维持的，因此，若没有对脑的刺激、精神的活性化、紧张的继续这样一个过程，科学家认为是无法说明的。

第 2 章　疾病的藏身之府与祛病之机

一、需要永远弹奏的琴弦

经络是人体内部运行气血的通道。足部是人体中经络与腧穴分布最为集中的部位之一。贯穿足部的有 6 条经脉，每只脚上分布着 38 处腧穴。足部的腧穴几乎全部具有特殊的生理功能，其中许多穴位的位置及主治功效与同一解剖位置的反射区基本一致。因此，按摩足部能通过经脉、穴位的作用起到舒经活血，调和气血、协调脏腑、平衡阴阳的作用，具有强身健体、防治疾病的功效。

二、身体内的日月运行规律

人体是由众多阴阳平衡的器官构成的系统组成的，而每个器官又是由许多阴阳平衡的组织和细胞构成的。每个细胞不断地进行新陈代谢，造成细胞、组织、器官和系统的相对平衡。各种器官和系统的平衡决定了整个机体的平衡。

足部反射区与全身各器官有着密切的关系。对机体出现的各种阴阳失衡起到协调平衡的作用。足部腧穴及反射区的按摩对有关器官的功能活动有着双向调节的作用，使功能减低者得以提高，功能亢进者得以抑制，使之逐渐恢复正常。

三、延伸的音乐之符——反射

人体是一个复杂而统一的机体，全身各器官（或部位）在足部都有相应的反射区。按摩某一反射区时，通过神经反射作用与相应的器官（或部位）发生联系，对相应器官的功能起调节作用。若该器官有疾患时，可使有病的器官逐渐恢复正常或减缓病情。

当某一器官发生病变时，也会反应在同名反射区上。在有异常反应的足部反射区进行按摩，可以防治相应器官的疾病，使慢性病得到治疗和康复。因为足部反射区按摩时所产生的强烈刺激传入中枢神经，可阻断相应器官原有的病理性冲动，使病理兴奋灶得以抑制，从而起到调整功能和扶正祛邪的作用。

四、拨动若干条琴弦才能启动生命的能量

全息学说认为，每个机体都是由若干全息胚组成。任何一个全息胚都是机体的一个独立的功能和结构单位；或者说机体的一个相对完整而独立的部分，就是一个全息胚。胚胎学认为，在受精卵内包含有父母赋予的全部生物信息，在发育过程中细胞不断分裂，每个细胞中都含有与受精卵细胞相同的生物信息。最后发育成机体后，每个局部依然包含着整个机体的全部信息，足就是这样的局部，可把它看成是全身的缩影。足部的每个反射区都与其相应的器官有着相似的生物特征。当某个器官有疾病时，在相应的反射区必然有所反应，可根据反射区的变化来判断相应器官的病症。因此，按摩足部反射区，可调节或改善各器官的功能，起到强身健体，健美益智，抵抗衰老和延年益寿的功效。还可协助诊断疾病。

信息调整学说认为，足部按摩能产生对人身有弹性的组织震动，不但能使能量输入，产生机械波，还可以直接引起感觉器、神经感受器官接受震荡，使细胞的动作发生改变，并产生一定的频率。细胞本身携带的人体信息被传入大脑皮层，沿全息胚各种通道传入机体的各脏器，从而调整了被破坏的平衡，可将紊乱结构纠正过来，达到防病、治病、保健的目的。

五、让生命在流动的血液中荡漾

血液循环担负着把营养物质和氧气输送到全身各种组织器官，以及把代谢废物、二氧化碳输送到肾、肺、皮肤等排出体外的任务。足部位于身体的最低的位置，离心脏最远，血流速度最慢。血液中的酸性代谢产物和矿物质容易在此积聚和沉积，使足部反射区受到异常刺激，可诱发相关疾病。足部按摩能改善血液循环，扩张血管，使血流加速，血流量增大。从而促进气体交换和各器官的新陈代谢，加快代谢物的排出。

六、只有增强体质才能增强健康

中枢神经系统对免疫具有调节作用。足部按摩可引起一系列的神经生理反应，活跃细胞，提高细胞免疫和体液免疫功能。同时，还能调节内分泌腺的激素分泌。尤其是对脾和淋巴腺等反射区的按摩，可增加血液中白细胞总数并提高吞噬细胞的活性，激活 T 淋巴细胞及 B 淋巴细胞的免疫功能。

七、永远催眠术——强调有效之效

在错综复杂的社会关系中，人们都承受着不同程度的心理压力。长期心理压力过大造成精神紧张，可引起机体功能失调和抵抗力降低，影响健康，甚至发生严重的疾病。足部按摩可使患者得到良好的心理治疗。足部按摩是一种高尚的享受，按摩既能使患者身体充分放松，缓解精神紧张和心理压力，又能使患者得到充分的休息，有一个良好的睡眠。按摩时的舒适感能改善患者的情绪，给患者一种被关怀和爱抚的感觉。良好的治疗效果，能增强患者战胜疾病和克服困难的信心，从而以愉快、乐观的情绪面对工作和生活。

第3章　操动生命琴弦之手

　　足部按摩手法应根据按摩的需要而定，因为人的脚有大有小，有厚有薄，所以力度适宜是关键，以达到保健和治疗为目的。下面是一些效果明显，容易掌握的常用的足部按摩手法，在古老的东方被无数人视为治病防病的良方。

一、食指扣拳法——锥刺法

1. 有效手法：

　　操作者一手握脚，另一手食指屈曲，与其他手指相握，并用拇指末节内侧缘紧压食指末节的背侧。

2. 施力部位：

　　食指第一指关节顶点部位。（图 3-1）

缕缕音符就是从你这个动作中缓缓地渗入你疲乏的身躯的，在体贴入微的乐韵中，心悄然舒坦。

图 3-1

3. 用力和带动食指：

施术者以前臂及腕部用力来带动食指发力，在反射区上作点刮手法。点刮过程中时点、时刮，时而运动，时而静止，力度由轻到重，稳而持续。本法具有着力面小，刺激性强，操作省力，着力深透的特点。切忌暴力施术。

肾上腺、肾、输尿管、膀胱、额窦、垂体、甲状腺、眼、耳、斜方肌、肺、心、脾、胃、胰、十二指肠、横结肠、升结肠、降结肠、乙状结肠及直肠、肛门、肝、胆、盲肠（及阑尾）、回盲瓣、腹腔神经丛、生殖腺、膝、肘、肩、上下身淋巴腺等反射区。

二、单食指拨弦法

1. 有效手法：

施术者一手握脚，另一手拇指固定，食指弯曲呈镰刀状，其余三指微握拳。

2. 施力部位：

食指第二节与末节外侧缘部。（图 3-2）

伟大作曲家舒曼的
《梦幻曲》曾让无数的孩
童在这支乐曲中入睡，
放松……

图 3-2

3. 动作提示：

施术者前臂及腕部用力，来带动食指发力，力度稳而持续、缓和，且轻而不浮，重而不滞，切忌暴力施术，防止刮破皮肤。

生殖器、尾骨内外侧、前列腺及子宫等反射区。

三、拇指推移术

1. 有效手法：

施术者一手握脚，另一手拇指微曲，并与其余一四指相对，虎口分开以便于操作为宜。

2. 施力部位：

拇指指腹部。（图 3-3）

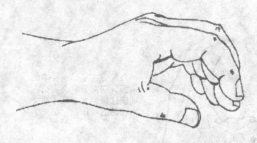

你听过舒伯特的《摇篮曲》吗？当你在施用这种动作时，你会感到一种一把巨大的琴正在启动……

图 3-3

3. 动作提示：

施术者前臂及腕部用力来带动拇指发力，用力要稳，动作均匀连续，并循反射区域缓慢移动，切勿暴力施术，这样急于求成并不能获得理想的效果。

4. 有针对性的手法:

支气管、坐骨神经、下腹部、肋骨、盲肠及肛门、腹股沟、髋关节、尿道及阴道、胸椎、腰椎、心脏、肩胛骨、前列腺（或子宫）等反射区。

四、双拇指如钳扣鼓法

1. 有效手法:

施术者双手张开成掌，拇指与其他四指分开，两手拇指相互重叠在一起。

2. 施力部位:

手腕及其重叠在上的拇指处用力挤压受术者的有效部位。（图 3-4）。

东方古笙是一种木制乐器，它需要演奏者投入地按住每一个小孔才能奏出和谐的音乐。

图 3-4

3. 动作提示:

施术者着力于拇指重叠处之指腹，并以其余四指紧扣脚掌压推受术者的有效部位，你就犹如是在拨动 B 大调旋律。

4. 这些部位不适时：

肩、肘、子宫、前列腺等反射区。

五、双指钳核法

1. 有效手法：

施术者一手握住受术者的脚，另一手食、中两指弯屈成钳状夹住被施术的部位。以食指第二节指骨内侧缘与中指第二节外侧缘固定于反射区位置，并以微屈的拇指指端部位加压在食指第二节外侧缘上。

2. 施力部位：

食指第二节内侧缘部。（图3-5）

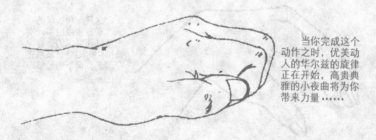

当你完成这个动作之时，优美动人的华尔兹的旋律正在开始，高贵典雅的小夜曲将为你带来力量……

图3-5

3. 动作提示：

施术者前臂及腕部用力来带动食指和中指发力，力度稳而持续，不移动，切忌暴力施术。

4. 适用范围：

甲状旁腺、颈椎等反射区。

六、捏指法

1. 有效手法：

施术者以拇指伸直与四指分开固定。

2. 施力部位：

为拇指指腹部。

3. 动作提示：

施术者施力于拇指短展肌和手掌使力达到拇指指腹部。（图 3-6）

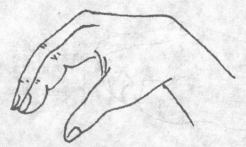

这是一种拨琴的手法，东方古老的筝，发出激扬而舒缓的声音，微微闭上眼吧，疲累正在溜走，留下的是舒坦……

图 3-6

4. 当你这些部位不适时：

髋关节、股关节、腹股沟。

七、双指扣拳法

1. 有效方法：

施术者一手握住受术者的脚，另一手半握拳，食、中两指弯屈，并拇指末节顶端紧压食指中节的外侧缘，无名指及小指屈曲靠拢中指。

2. 施力部位：

食、中指的第一指间关节顶点部。（图 3-7）

在一贯的行为中，你会想到的这种姿势有什么力度，如果你长久停留在某一处，那种感觉会使你在酸痛中痉挛。

图 3-7

3. 动作要领：

施术者前臂及腕部用力来带动食指和中指发力。力度由轻到重，稳而持续，切忌暴力。

4. 当你这些部位不适时：

肘等反射区。

八、双掌握推法

1. 手法操作：

施术者以一手四指与拇指张开，拇指指腹为着力点，四个手指扣紧，另一只手为辅助之手，紧握脚掌，施术之手顺力，向上推。

2. 施力部位：

大拇指指腹。（图 3-8）

施术者在你身上的某个部位施用这种手术的时候，你会找到 30 种以上的快乐感，但你一定要放松、放松、放松……

图 3-8

3. 动作要领：

施术者施术时，用前臂的力量，并用手腕、手掌的力量，使大拇指施术时力量更大。

4. 当你的这些部位不适时：

睾丸（卵巢）、前列腺、子宫、下腹部、尿道、直肠内外。

九、双手理法

1. 有效手法:

施术者拇指伸直,其余手指微曲,虎口张开,以便于施术为宜。

2. 施力部位:

全手手掌。(图3-9)

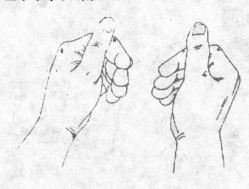

原地坐好,所有
的乐曲就将结束。深
呼吸,长长地呼一口
气,F大调双簧管协
奏曲正在开始。放
松、放松……

图3-9

3. 动作提示:

施术者前臂及腕部用力来带动手发力,力度由轻到重,再由重
到轻,做到重而不滞,轻而不浮,动作连贯,一松一紧循序移动,
方向由膝部移行于踝部。

4. 适用范围:

本法可用作足部反射区按摩的结束手法。

十、双手捋摸法

1. 有效手法：

施术者食指、中指、无名指、小指略屈曲，拇指指腹与屈曲手指相对，虎门分开，以适用施术为宜。

2. 施力部位：

全手手掌部。（图 3-10）

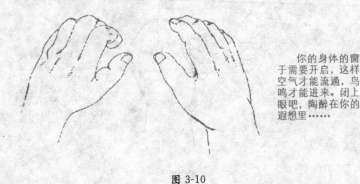

你的身体的窗于需要开启，这样空气才能流通，鸟鸣才能进来。闭上眼吧，陶醉在你的遐想里……

图 3-10

3. 动作提示：

施术者前臂及腕关节用力以带动手发力，力度要轻，但轻而不浮华，方向由足跟部到足趾部，切忌暴力施术。

4. 适用范围：

本法可用作足部反射区按摩的结束手法。

十一、提足扣指法

1. 有效手法：

施术者食指第一、二节弯曲，四指握拳如手法单食指扣拳法，另一手拇指伸入食指中。

2. 施力部位：

为食指第二关节。（图 3-11）

有一种音乐，它来自巴西，如果你按照这种节奏进行移动你的指位，它会使人的骨骼得到有氧运动，能保持某些部位系统的健康。

图 3-11

3. 动作提示：

施术者以握拳之手腕用力，另一手拇指辅助，四指为握足之固定点，使力达食指第二关节处。

4. 适用范围：

肾上腺、肾、输尿管等反射区。

十二、推掌加压法

1. 手法操作：

施术者以一手拇指与四指分开，另一手平掌加压在拇指上。

2. 施力部位：

拇指指腹，四指为其支点。（图 3-12）

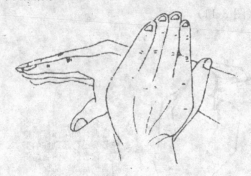

使用这种动作时，可能全身有一种颤动感，就好似春风中的绿叶，在风中摆动，如果音乐中播放的正是咏叹调，你会听到你内心畅快的叹息。

图 2-12

3. 动作要领：

施术者以一手施术，为增加力量，用另一手的手掌加压，以辅助施术之手拇指的指力，使力量直达指腹。

4. 适用范围：

胸椎、腰椎、骶骨、尾骨、内外侧坐骨神经及尿道等反射区。

十三、扣指法

1. 有效手法：

一手握脚，另一手拇指指间关节弯曲成直角，其余四指并拢微曲起支持作用。

2. 施力部位：

拇指顶端部。（图 3-13）

当你觉得很累的时候，就来一点煎肉、冰淇淋或复合维生素吧，这自然不能带给你根本的健康，但会使你心情放松，身心放松……

图 3-13

3. 动作要领：

施术者前臂及腕部用力来带动拇指发力，力度由轻到重，稳而持续，点按有节奏，拇指不要移动，以免发生损伤。

4. 适用范围：

小脑及脑干、三叉神经、鼻、颈项、扁桃腺等反射区。

十四、拔伸摇踝法

1. 有效手法：

施术者一手握受术者踝关节部以固定，另一手握住足趾部，稍用力向下牵引拔伸，同时做踝部环转摇动，然后再向前顶压，使足被动背屈。

2. 施力部位：

双手全手掌部。（图 3-14）

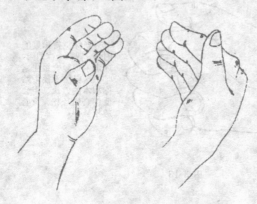

与大自然的力量合作吧，慢慢地好像一棵树或一棵草的成长，每天只增长一些，它需要一个缓慢的过程。不要急于求成……

图 3-14

3. 动作提示：

施术者前臂及腕部用力来带动手部发力，施术前术者放松踝部，操作时手法要柔和，牵引下摇动踝关节。

4. 适用范围：

此法可用作足部反射区按摩的结束手法。

十五、合掌搓

1. 有效手法：

施术者双手掌置于受术者小腿腓肠肌部，从两侧进行搓动。

2. 施力部位：

全手掌部。（图 3-15）

提醒自己要有耐
心，健康并不是与生俱
来的，要获得健康便要
遵守自然规律，如果我
们破坏它们，它就不会
为我们带来健康……

图 3-15

3. 动作提示：

施术者臂部、腕部及手部的肌肉发力，来带动手掌及手指发力，并在小腿腓肠肌部反复搓动，搓动时动作应均匀而柔和，自上而下进行，其速度较快，每分钟约 50 次以上。

4. 适用范围：

本法可作为足部反射区按摩的结束手法。

十六、双拇指分推法

1. 有效手法：

施术者双手握脚，拇指伸直，其余四指微屈以固定。

2. 施力部位：

拇指指腹及偏峰部。（图 3-16）

> 不要去想那些粉红、紫色、黄色和绿色的药丸，一个真正健康的人并不去做海底捞针的事，因为"你的救命丹"就是打开你的一扇窗口，拨动一根琴弦……

图 3-16

3. 动作提示：

施术者前臂及腕部用力来带动拇指发力，施力部位紧贴皮肤，用力要均匀，速度缓慢而均匀。

4. 适用范围：

肩胛骨等反射区。

十七、拇指制扣拳法

1. 有效手法：

施术者将双手拇、食指张开，食指第一、二节弯曲，呈三指握拳。

2. 施力部位：

第一指关节处。（图3-17）

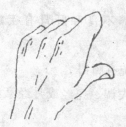

在大自然的帮助下，中和并排除引起疾病的物体后可以治愈疾病，只要你把身体放松到天上，你的身体就没有堵塞……

图 3-17

3. 动作提示：

施术者用拇指固定为辅助点，手腕用力，力达食指第一关节处。

4. 适用范围：

横膈膜、上身淋巴腺下身淋巴腺等反射区。

第4章 乐意改观或改革你的健康习惯

一、突破脚趾的功能与结构

1. 趾甲凸凹不平、薄软、剥脱是营养不良和肝肾有疾病的表现。

2. 趾甲青紫或苍白无血色说明循环系统有障碍。

3. 趾甲下有一条或数条黑线为内分泌失调、痛经或月经紊乱的表现。

4. 趾甲畸形说明神经系统有疾病或脏腑功能失调。

5. 趾甲麻木无感觉是心血管疾病人表现。

6. 趾甲有白斑或红白相间说明小儿有虫积。

二、脚趾的暗示性

1. 大拇趾暗红或紫色是气血瘀滞所致。

2. 拇趾趾头出现青紫是脑血管意外引起的失眠的表现。

3. 大拇趾内侧鼻反射区部位隆起是鼻炎的表现。

4. 大拇趾偏斜或肿胀是脏腑失调和糖尿病的表现。

5. 脚趾间长鸡眼说明有视力障碍。

6. 脚趾出现苍白水肿有高血压或动脉硬化疾病。

三、解读脚底引发疾病的原因

1. 足底板称为扁平足，是由骨骼、韧带和肌肉受损及先天性发育不良所引起的肝脏、胆囊或心脏疾病。

2. 扁平足兼有皮肤苍白说明患有脊椎病。

3. 拇趾外翻说明有颈椎或甲状腺疾病。

4. 足底拇趾趾端瘦弱说明患有耳部疾病。

5. 足底拇趾外侧突起是五官科疾病的表现。

6. 双脚拇趾底部并列起来有一高一低的表现说明头部有肿瘤疾病。

四、通过脚背拯救全身

1. 脚背的脚趾根部有白色脂肪块出现说明患有高血压疾病。

2. 脚背部趾关节出现水肿是有盆腔炎及胸膜炎疾病。

3. 脚踝内侧有紫色斑点是痛经及子宫疾病的表现。

4. 脚背有血点、斑点是造血系统疾病表现。

5. 脚背部隆起是泌尿系统结石所引起。

6. 脚背部凹陷是由肝硬化、肝癌所引起。

五、触摸双脚会发现你的健康状况

人体在健康的情况下，对足部进行触摸是不会引起疼痛等异常表现的。而当人体发生病变时，相应足穴就会出现有压痛感，有时还会出现皮下结节或小硬块等病理反映。

对足部进行触摸时最常见的异常表现，有时还会出现肿胀，抵抗感及触及到条索状物等。此外如果发现足部皮肤发凉，应考虑是否有其他疾病潜伏。有的人在进行足部触摸时不感到疼痛，但有异样感觉，这也是一种病理反映，应注意检查。在进行足部触摸时一般会出现下面几种感觉，即：痛、麻、酸、木、惊、跳、沉、胀等感觉。一种或几种感觉并存说明人体已发生了某种病变。

1. 当触压你的脚——痛

为实症，多有神经痛，肌内神经痛、血管性神经痛，重者疼痛入骨。

2. 当触压你的脚——麻

多为血质有病变，轻者血液化验不正常，机体发生病变，重者为白血病、血癌。

麻胀：轻者血质不好引起发烧或红血球增高，肿物发炎；重者血质不好造成肝腹水或肾上腺素性腹水，低烧或肾病综合症。

麻木：轻者为风湿性肌肉炎、脉管炎；重者则有可能造成瘫痪。

麻凉：轻者风湿风寒；重者有血质风寒合并症，造成毛孔萎缩，导致肌肉萎缩、身凉无汗，并可转为脊髓空洞症，导致风湿入骨造成骨质坏死。

麻痛：轻者神经炎，肝瘀生热；重者高烧，神经痛，血管神经性头痛和三叉神经痛。

麻跳：轻者血质不好引起痉挛和疼痛；重者引发癫痫、神经痛、血管神经性头痛和三叉神经痛等疾病。

3. 当触压你的脚——酸

多为外伤疾病，轻伤于肉，重伤于骨。

酸麻：多为外伤引起血质不好，验血时可发现不正常的现象；

重者为外伤引起的骨髓炎症。

酸凉：轻者为皮肉外伤引起的风湿症；重者血液循环发生障碍，肌肉萎缩，骨质变形。

酸痛：轻者为外伤引起麻木，有凉感；重者瘫痪或骨折。

酸跳：轻者为外伤引导起肌肉痉挛，抽搐；重者为脑病、癫痫。

4. 当触压你的脚——木

轻者虚热而生炎症和植物神经功能紊乱；重者交感神经功能失调、盗汗、忽冷忽热。

木胀：轻者水肿，有炎病；重者内脏肿大，有炎症。

木凉：轻者风湿热，重者风湿热引起瘫痪。

木沉：轻者气郁发烧、血滞发热，四肢无力。

木跳：痉挛痛，重者神经炎、哮喘、肝区痉挛痛、肋间神经痛。

5. 当触压你的脚——凉

为风寒，轻者风寒入肉，重者风寒入骨。

凉痛：轻者风寒引起肌肉神经痛，重者风寒入骨引起骨神经痛。

凉沉：轻者血滞、气滞；重者肿块、积瘤引起恶变，转成癌。

6. 当触压你的脚——凉跳

重者风寒引起神经痉挛，肌肉萎缩，肌张力增强，行动困难，精神分裂症；轻者头痛，头昏，神经官能症，神经性头痛。

7. 当触压你的脚——沉

为气滞血瘀。

痛沉：神经传导组织障碍，造成血瘀；重者剧烈疼痛形成结石，血管硬化。

痛沉凉：气血瘀滞，虚闷；重者眩晕，昏迷，死亡。

痛麻沉：肌肉痉挛血管痉挛。

8. 当触压你的脚——胀

为膨胀、肿。轻者为胀，为气；重者为水肿、食热。

胀凉：轻者为风寒引起水仲；重者引起大、小便不能，时冷时热，风湿热。

胀痛：邪热内侵、膨胀水肿，造成神经疼痛。

胀沉：轻者气血瘀滞，形成膨胀；重者胸闷气短，心衰，食水难进，大便秘结，尿短，色红。

胀跳：轻者膨胀引起痉挛痛；重者发烧造成脑部痉挛。

第 5 章　明了人体的智慧
——手到病除的施术者

一、医、患者的 6 个注意

1. 按摩场所要有良好的卫生环境。空气要流通，新鲜；温度适宜，不宜过冷或过热。

2. 按摩前医者要洗手，修短指甲；患者要用热水洗足，并剪短趾甲，修磨过厚的足垫，有足癣者要先擦药膏再做按摩，或用塑料袋包裹足部后再做按摩。术后医者要用肥皂洗手 2-3 遍，严防真菌感染。

3. 按摩前要询问和观察患者的健康状况，了解患者的保健要求，并进行心脏反射区检查，掌握其心脏功能状况及对手法刺激的耐受程度。凡有心脏疾病者，心脏反射区的检查手法及各反射区的按摩手法均应轻柔，以确保安全、有效。

4. 在按摩中要随时了解患者的反应和要求，及时调整按摩刺激强度与刺激量，以达到最佳的效果。必要时应为患者提出其他适用保健建议。

5. 危重病人，有出血性疾病者，足部骨折或急性损伤者，妇女妊娠期禁止做足部按摩；饭前半小时和饭后 1 小时内，尽量不做按摩。

6. 按摩前后要鼓励患者饮水 300ml-50ml，有助于排出体内有毒物质，不宜多饮水者例外。按摩后要帮助患者及时穿好衣服与鞋袜，并征求患者的意见。

二、按摩器械

足底按摩不需要特殊的器械，只用手指、指甲、手掌、拳头或身边用的工具，如牙签、毛杆、筷子、螺丝刀的柄或木制的按摩棒，做发型用的空心卷、编织针、米粒、刷子等。如果需要灸治，可用燃着的香烟、线香。工具随处可取，只要不用利器，不造成皮肤损伤就行。

三、按摩时间

每次进行足部按摩的时间一般应掌握在 30-45 分钟。每只脚的基本足穴，即肾、输尿管、膀胱及肾上腺等按约 5 分钟，主要足穴按摩应在 5-10 分钟以内，相关足穴约按 3-5 分钟。对重病患者，可视其病情缩短时间。按摩的时间间隔长短及按摩次数的多少，应根据患者所患疾病的性质、病程的长短，患者接受按摩的耐受力，以及患者的年龄、性别等来决定。重症急症患者，每日按摩 1 次。慢性病患者或在康复期间可隔日按摩一次或每周两次，7-10 次为一个疗程。

四、药物浸泡后的按摩更有效

1. 药物浸泡的过程

①完成准备工作,确定药物浸泡之后,患者将足及小腿中下部分暴露,先用 50-70℃的温水浸泡 3-5 分钟,要充分清洁局部,使足预热,为吸收药物作好准备。

②泡洗后转入相应药液中浸泡 5 分钟左右,液温选择患者可耐受温度。浸泡中患者宜全身放松,闭目养神,以达舒适协调的效果。这一环节可使足部进一步吸收药液使皮肤软化,同时吸收药液以增加疗效,为足部推拿创造最佳条件。

③药液浸泡后用净水洗去表面药液,水温宜在 35-55℃,充分擦净擦干后转入足部推拿。

2. 来自东方古国的药液的配方

①舒筋活血方

归尾 30 克,赤芍 20 克,川芎 20 克,川牛膝 30 克,白芷 20 克,川椒 15 克,甘草 15 克,透骨草 30 克。

制作方法:取水 3000 毫升,文火煎至留液 1500 毫升,将液渣分离,在分离后的药液中加热水及助渗剂即可使用。

功效:舒筋通络,行气活血,散寒止痛。

主治:慢性病,老年病,关节及周身酸痛不适,形寒肢冷,气滞血瘀等病症。

②清热解毒方:

黄柏 50 克,苦参 50 克,玄参 30 克,胆草 30 克,大黄 15 克,菖蒲 50 克,竹叶 15 克。

制作方法：取水 3000 毫升，文火煎至留液 1500 毫升，将液渣分离，在分离后的药液中加热水及助渗剂即可使用。

功效：清热解毒，燥湿泻火。

主治：各种湿热及皮肤、血液系统病症，并具有抗栓排毒的功效。

③祛风除湿方：

荆芥 30 克，防风 30 克，羌活 30 克，海桐皮 30 克，白芷 30 克，五加皮 30 克，川牛膝 50 克，苍术 30 克，川椒 15 克，桂枝 30 克，伸筋草 50 克，钻地风 30 克。

制作方法：取水 3000 毫升，文火煎至留液 1500 毫升，将液渣分离，在分离后的药液中加热水及助渗剂即可使用。

攻效：祛风除湿，温经通络，散寒止痛。

主治：各种风寒湿痹、关节酸楚疼痛、风湿麻木等症。

五、其他按摩

在足部按摩过程中应用适量的按摩介质，不仅可以减少摩擦，保护皮肤，便于操作，而且还可借助于药物作用增强疗效，以及防治皮肤皲裂和真菌感染。也可不用按摩介质，而用塑料袋将足包裹后进行按摩。常用的按摩介质有：

①按摩乳：含有活血化瘀，消肿止痛的药物。可以增强局部按摩后的舒适感，提高按摩治疗的效果。

②2％嗯康唑霜：含有抗真菌的咪康唑，具有兼治足癣的作用。

③2％尿素酸和醋酸尿素软膏：对足部皮肤皲裂有治疗作用。

④凡士林油膏：用凡士林与适当比例的流体石蜡混合制成，适用于足部皮肤较干的人。

六、足部按摩的适应症性

足部按摩主要作用是调节人体的内部机能，具有固本培元、扶植正气的功效。足部按摩对各种功能性的疾病的疗效比较显著，例如：尿失禁、遗尿、无尿、晕车、便秘、神经痛、小儿厌食、近视、前列腺肥大、高血压等病症有良好疗效。特别是有些病人对药物过敏或产生抗药性，不能用打针、吃药进行治疗或疗效不显著，或者某些需手术的病人由于特殊原因不能进行手术，以及对于有些目前医学上还缺乏有效治疗方法的病症，均可采用足底按摩来调整机体的抗病能力，来作为一种保守疗法。

足部按摩与其他治疗方法之间没有矛盾，它不但不排斥其他的疗法，而且在医生的指导下，完全可以与其他疗法结合起来运用。与手术治疗相结合，可促进伤口愈合，对某些恶性肿瘤患者，足部按摩还可以减弱放疗、化疗的副作用。

任何疗法都有其局限性，不可能包治百病，例如：

1. 对于急性传染病和急性中毒等急性病症，必须首先采用药物或其他方法遏制病势的发展，而将足部按摩作为一种补充的康复手段或辅助疗法。

2. 在妇女月经或妊娠期间应避免使用足底按摩，以免引起子宫出血过多或影响胎儿健康。

3. 因足部按摩有促进血液循环的作用，所以对脑出血、内脏出血及其他原因所致的严重出血病患者，不能使用足部按摩以免引起更大的出血。

4. 对于严重肾衰、心衰、肝坏死等危重病人，足部按的刺激可引起强烈的反应甚至使病情恶化，故必须慎用。

5. 对于肺结核活动期的患者，不能使用足部按摩，以结核菌随血液播散，导致弥漫性、粟粒性结核的严重后果。

6. 对于频发心绞痛患者，应绝对卧床休息，并尽量去院就医，绝不能滥用足部按摩，因足部按摩的刺激有时可发心肌梗死，造成严重的后果。

总之足部按摩有其广泛的适应性，也有其一定的局限性。

第6章　身体的自我治疗能力——像生命一样古老的穴道

一、潜能穴道与人体的密切关系

1. 阳陵泉

①取穴：

正坐，屈膝垂足，在腓骨小头前下方凹陷中取之。（见图 6-1）

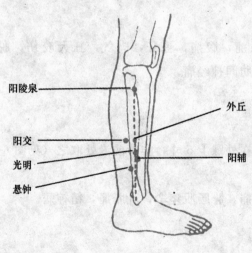

阳陵泉
外丘
阳交
光明
阳辅
悬钟

人类最贵重的财产就是自体的自我治疗能力，动物也一样。

图 6-1

②适应症：

半身不遂，下肢痿痹，麻木，胸胁疼痛，小儿惊风，破伤风，癫痫，坐骨神经痛，脉管炎，胆囊炎，胆结石，身热黄疸，疟疾。

2. 阳交

①取穴：

正坐，屈膝垂足，在外踝高点上 7 寸，腓骨后缘，外踝与阳陵泉之间取之。（见图 6-1）

②适应症：

胸胁胀满，疼痛，面肿，膝肿痛，惊悸怔忡，惊狂，癫疾，瘈病，肋间神经痛，下肢静脉炎。

3. 外丘

①取穴：

正坐，屈膝垂足，在外踝尖上 7 寸，腓骨前缘处取穴。（见图 6-1）

②适应症：

胸胁满闷，颈项强痛，腹痛，惊狂，脚气，狂犬咬伤，脱肛，胸膜炎，坐骨神经痛，肋间神经痛。

4. 光明

①取穴：

坐正，屈膝垂足，在外踝上 5 寸，腓骨前缘处取之（见图 6-1）

②适应症：

青光眼，夜盲，膝痛，腓肠肌痉挛，乳胀痛，精神病。

5. 阳铺

①取穴：

正坐屈膝垂足，在外踝尖上 4 寸，腓骨前缘凹陷处取之。（见图 6-1）

②适应症:

偏头痛,胸胁痛,下肢外侧痛,青光眼,扁桃体炎,骨神经痛,腰膝冷痛。

6. 县钟

①取穴:

正坐,屈膝垂足,在外踝 3 寸,腓骨后缘与腓骨短肌肌腱之间凹陷处取之。(见图 6-1)

②适应症:

落枕,腰膝疼痛,半身不遂,脚气,胸膜炎,肋间神经痛,气管炎,痔疮,小腿酸痛。

7. 丘墟

①取穴:

正坐垂足踏地,在外踝前下方,趾长伸肌腱外侧凹陷中取之。(见图 6-2)

②适应症:

颈项痛,中风偏瘫,髋关节疼痛,外踝肿痛,足内翻,目赤肿痛,近视,偏间痛,疟疾,胆绞痛。

8. 足临泣

①取穴:

正坐垂足踏地,在第四、五跖骨结合部的前方凹陷中取之。(见图 6-1)

②适应症:

头痛,头晕目眩,耳鸣,耳聋,目内眦痛,胸胁痛,肋间神经痛,气喘,疟疾,半身麻木,足跗肿痛,月经不调,乳痈,心绞痛。

9. 地五会

①取穴：

正坐，垂足踏地，在第四、五跖骨间，小趾伸肌腱的内侧缘取之。（见图6-1）

②适应症：

足背肿痛，腑下肿，目赤肿痛，乳腺炎，腰痛，内伤，吐血，耳鸣，耳聋。

10. 侠溪

①取穴：

正坐，垂足踏地，在第四、五趾缝间，趾蹼缘的上方纹头处取之。（见图6-2）

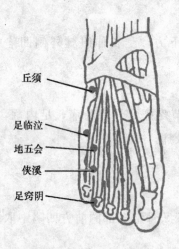

丘须

足临泣

地五会

侠溪

足窍阴

在亿万年首，某些穴道就与人类共存，只要人们运动指头，就会从这里达到疗病的目的。

图 6-2

②适应症：

头痛，目眩，耳鸣，耳聋，月经不调，乳痛，心绞痛，胸膜炎，角膜炎，胁肋痛，伤寒，热病汗不出，周身串痛，四肢浮肿，足背痛，足趾痉挛。

11. 足窍阴

①取穴：

正坐，垂足踏地，在第四趾外侧，距趾甲角 0.1 寸取之。（见图 6-2）

②适应症：

热病，头痛，心烦，目痛，胁痛，咳逆，四肢转筋，手足心发热，耳鸣，耳聋，足跗肿痛，哮喘，月经不调。

二、启动重要器官的功能

1. 涌泉

①取穴：

涌泉

大多数人对人体的穴道是模糊的，这方面的专家应该把这方面的知识小心地解释给患者知道。

图 6-3

仰卧，在足掌心前三分之一，当屈足踇趾时出现凹陷处取之。
（见图 6-3）

②适应症：

中风昏迷，中暑，休克，头顶痛，眩晕，目昏花，失眠，咽喉
痛，舌干，失音，小便不利，大便失禁，五更泄泻，心烦，小儿惊
风，足心热，霍乱，转筋，足掌痛。

2. 然谷

①取穴：

正坐拱足，按取内踝前大骨（舟状骨）下陷处中。（见图 6-4）

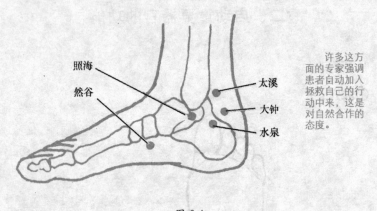

照海
然谷
太溪
大钟
水泉

许多这方
面的专家强调
患者自动加入
拯救自己的行
动中来，这是
对自然合作的
态度。

图 6-4

②适应症：

喉痹，咳血，黄疸，泄泻，自汗，盗汗，消渴，阴痒，子宫脱
垂，崩漏，月经不调，遗精，早泄，阳萎，膀胱炎，精神病，疟疾，
小儿脐风口噤，足跗肿痛，不孕症，尿失禁，遗尿。

3. 太溪

①取穴：

正坐垂足，在内踝尖与跟腱之间的凹陷处取之。（见图 6-4）

②适应症：

咳嗽，痰稠，咽喉炎，齿痛，咳血，肺气肿，耳鸣，耳聋，神经衰弱，遗精，早泄，阳痿，小便频数，大便难，消渴，腰背痛，足跟痛，足腕关节肿痛，月经不调，先兆流产，子宫内膜炎，痔疮。

4. 大钟

①取穴：

正坐垂足，在内踝后下方，跟腱附部的内侧前方凹陷处取之。（见图 6-4）

②适应症：

咳血，舌干，口中热，气喘，喉鸣，痴呆，嗜卧，胸胀，腹满，腰脊强痛，足跟痛，膀胱炎，月经不调。

5. 水泉

①取穴：

正坐垂足，在内踝后下方，太溪直下 1 寸处，跟骨结节的内侧前上部凹陷处取之。（见图 6-4）

②适应症：

头昏，眩晕，小腹胀痛，月经不调，闭经，痛经，子宫脱垂，子宫内膜炎，附件炎，小梗不利，视物不清，膀胱炎，前列腺炎。

6. 照海

①取穴：

正坐拱足，在内踝下 4 分处凹陷中取之。（见图 6-4）

②适应症：

目疾，咽喉肿痛，月经不调，赤白带下，子宫脱垂，阴痒，疝气，胎衣不下，小便频数，便秘，癫病，四肢懈怠，足跟痛，痫症夜发，失眠。

7. 复溜

①取穴：

正坐垂足，太溪穴直上 2 寸，跟腱的前方取之。（见图 6-5）

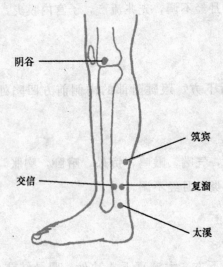

阴谷

筑宾

交信

复溜

太溪

图 6-5

许多病人对处理疾病的传统方法感到失望。因为他们所需要的是特效的方法。

②适应症：

泄泻，便血，肠鸣，腹胀，便秘，痢疾，水肿，足痿，下肢浮肿，盗汗，自汗，肾炎，睾丸炎，腰背痛，遗精，神经衰弱。

8. 交信

①取穴：

正坐垂足，在小腿内侧，太溪直上 2 寸，复溜前 0.5 寸，胫骨内侧缘的后方。（见图 6-5）

②适应症：

月经不调，闭经，崩漏，子宫脱垂，腹痛，下肢内侧痛，睾丸炎，痢疾，便秘，尿潴留。

9. 阴谷

①取穴：屈膝，在膝腘部内侧横纹处，两筋之间取之。

②适应症：

急性胃肠炎，胃痉挛，腹胀如鼓，小便难，膝关节炎，阳萎，阴囊湿疹，疝痛，崩漏，带下，痰多。

三、永远解除疾病前先要改变你的支行方式

1. 委阳

①取穴：

俯卧，在腘横外端取之（见图6-6）

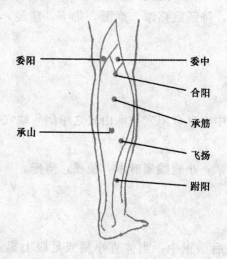

委阳
委中
合阳
承筋
承山
飞扬
跗阳

大一个人只有他的健康状况受到干扰的时候，才知道疾病已经大摇大摆侵入了他的日常生活。

图 6-6

②适应症：

胸满，小便不利，小腹胀，遗尿，便秘，痔疮，腰背痛。

2. 委中

①取穴：

俯卧，在腘横纹中央两筋之间取之。（见图 6-6）

②适应症：

腰背痛，下肢瘫痪，坐骨神经痛，遗尿，小便难，中风昏迷，急性呕吐，腹中绞痛，丹毒，疔疮，痈疽，疟疾，痢疾，中暑，热病，膝关节炎，腓肠肌痉挛。

3. 合阳

①取穴：

俯卧，腘窝中央委中穴下 2 寸处。（见图 6-6）

②适应症：

腰脊强痛，下肢痿痹，腓肠肌痉挛，崩漏，带下，痛经，阴痛，疝痛，睾丸炎，阳痿。

4. 承筋

①取穴：

俯卧，在腓肠肌肌腹中央（合阳穴与承山穴之中间）取穴。

②适应症：

腰背拘急，腓肠肌痉挛，小腿酸痛麻木，便秘，痔疮。

5. 承山

①取穴：

正立或俯卧，在小腿后面正中，当伸直小腿或足跟上提进，腓肠肌肌腹下出现"人"字纹处取之。（见图 6-6）

②适应症：

腰背痛，久痔肿痛，鼻衄，头痛，腓肠肌痉挛疼痛，足跟痛，便秘，脱肛，脚气，下肢瘫痪，坐骨神经痛。

6. 飞扬

①取穴：

正坐垂足，在足外踝上 7 寸取之。（见图 6-6）

②适应症：

头痛，寒热，鼻塞，流涕，目眩，腹痛，下肢瘫痪，坐骨神经痛，癫痫，类风湿性关节炎，腓肠肌痉挛。

7. 昆仑

①取穴：

正坐或侧卧，在外踝与跟腱之间凹陷中取之。（见图 6-7）

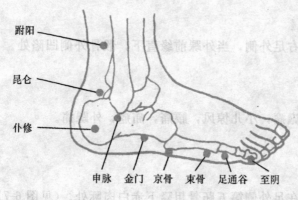

跗阳

昆仑

仆修

申脉　金门　京骨　束骨　足通谷　至阴

大多数人不
到受疾病袭击时
是不看医生的，你
只要长时间坚持
这种放松法，一
生几乎没有看医
生的机会。

图 6-7

②适应症：

头痛，腰痛，坐骨神经痛，踝关节肿痛，足内翻，足跟痛，目眩，目痛，牙痛，疟疾，便秘，难产，胎衣不下，胸满暴喘，小儿痫症。

8. 仆参

①取穴：

正坐垂足，昆仑直下 2 寸，赤白肉际处取之。（见图 6-7）

②适应症：

腰痛，足跟痛，霍乱转筋，癫痫，脚气，晕厥，跟骨骨刺。

9. 申脉

①取穴：

正坐垂足，足外侧部，外踝直下方凹陷处取之。（见图 6-7）

②适应症：

偏正头痛，寒热，眩晕，眼睑下垂，眼目昏花，耳鸣，心悸，失眠，癫痫，腰痛，腿酸无力，足内翻。

10. 金门

①取穴：

正坐垂足，右足外侧，当外踝前缘直下，骰骨外侧凹陷处。（见图 6-7）

②适应症：

霍乱转筋，癫痫，小儿惊风，腰痛，疝痛，外踝痛。

11. 京骨

①取穴：

正坐垂足，在足外侧第五跖骨粗隆下赤白肉际处。（见图 6-7）

②适应症：

头痛，头重，腰骶痛，脚挛，膝痛，心悸，胸痛。

12. 束骨

①取穴：

正坐垂足，在足外侧第五跖骨小头后缘赤白肉际处。（见图 6-7）

②适应症：

头痛项强，目眩，耳聋，目赤痛，痈疽，疔疮，腰背痛，小腿腓肠肌痛，坐骨神经痛。

13. 足通谷

①取穴：

正坐垂足，在足外侧，第五跖趾关节前缘赤白肉际处。（见图6-7）

②适应症：

头痛，目眩，腹痛，口苦，疟疾。

14. 至阴

①取穴：

正坐垂足，在足小趾末节外侧，距趾甲角0.1寸取之。（见图6-7）

②适应症：

头顶痛，鼻塞，目痛，难产，胞衣不下，胎位不正，遗精，小便不利，脚肿，足下热。

四、用手指压挤出你体内的活力

1. 隐白

①取穴：

正坐垂足，距拇趾内侧爪甲角约1分许。（见图6-8）

②适应症：

腹胀，泄泻，呕吐，食不下，面瘫，月经过多，崩漏，带下，晕厥，多梦，失眠，小儿急慢惊风，鼻衄，便血，尿血，睾丸肿大，跖趾关节肿胀疼痛。

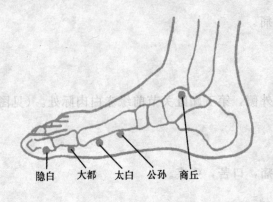

人体所需的营养是以氨基酸为建筑单位，人体骨骼的形成是以穴道为建筑单位，这是人体的最好说明。

隐白　大都　太白　公孙　商丘

图 6-8

2. 大都

①取穴：

正坐拱足，在足大趾本节前下方赤白肉际凹陷中。（见图 6-8）

②适应症：

腹胀，腹痛，胃脘痛，呕吐，消化不良，泄泻，气滞腹痛，热病汗不出，便秘，小儿惊厥，手足逆冷跖趾关节痛。

3. 太白

①取穴：

正坐拱足，在足大趾本节后下方赤白肉际凹陷处。（见图 6-8）

②适应症：

头重，头痛，恶寒，发热，痢疾，便秘，腹胀，泄泻，胃痛，腹痛，呕吐，消化不良，身重骨酸，脚气，小儿疳积，低热，身体消瘦。

4. 公孙

①取穴：

正坐拱足，由足背最高点向内侧移按，当骨边陷中。（见图 6-8）

②适应症：

胃痛，消化不良，呕吐，呃逆，泄泻，腹胀痛，肠鸣，便秘，水肿，足心热痛，黄疸，癫狂痫，脚气，疟疾，月经不调，痛经，闭经，足内翻，足下垂合并足内翻。

5. 商丘

①取穴：

正坐垂足，在足内踝前下方凹陷处，当舟骨结节与内踝尖连线的中点处。（见图 6-8）

②适应症：

腹胀，肠鸣，恶心，呕吐，便秘，腹泻，黄疸，食不下，多梦，语言不利，脾冷胃痛，足踝关节痛，不孕，小儿慢惊风，疝气。

6. 三阴交

①取穴：

正坐垂足，在内踝高点上 3 寸胫骨后陷中。（见图 6-9）

②适应症：

脾骨虚弱，胃痛，腹胀，肠鸣泄泻，消化不良，月经不调，崩漏，带下，经闭，痛经，乳少，阴挺，产后血晕，难产，不孕症，胎衣不下，胎死腹中，遗精，阳痿，早泄，阴茎痛，遗尿，下肢不遂，失眠，水肿，消渴，神经衰弱，高血压，半身不遂，睾丸炎。

7. 漏谷

①取穴：

正坐垂足，在胫骨后缘三阴交穴上 3 寸陷中取之。（见图 6-9）

②适应症：

腹胀满，消化不良，小便不利，足踝肿痛，瘕病，脚气，崩漏。

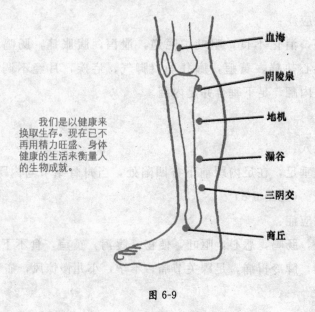

	血海
	阴陵泉
	地机
	漏谷
	三阴交
	商丘

图 6-9

我们是以健康来换取生存。现在已不再用精力旺盛、身体健康的生活来衡量人的生物成就。

8. 地机

①取穴：

正坐垂足，在小腿内侧，当内踝尖与阴陵泉的连线上，阴陵泉下 3 寸。（见图 6-9）

②适应症：

脘腹胀痛，食欲不振，小便不利，水肿，腰痛，遗精，月经不调，痛经，带下。

9. 阴陵泉

①取穴：

正坐伸腿，在小腿内侧，当胫骨内侧髁后下方凹陷中。（见图 6-9）

②适应症：

腹胀痛，水肿，小便不利，尿失禁，泄泻，黄疸，遗精，带下，腰痛，下肢肿，膝痛，阴茎痛，腹中冷痛，霍乱，中风。

10. 血海

①取穴：

屈膝，在大腿内侧，当髌骨内上缘上 2 寸取之。（见图 6-9）

②适应症：

月经不调，经闭，痛经，崩漏，月经过少，阴痒，贫血，荨麻疹，湿疹，风疹，丹毒，下肢风湿，股内侧痛。

五、寻求生命的根源

1. 梁丘

①取穴：

屈膝，在大腿前面，髂前上棘与髌底外侧端的连线上，髌底上 2 寸。（见图 6-10）

②适应症：

膝肿痛，下肢不遂，髌上滑囊炎，髌骨软化症，腰痛，胃痛，乳痈。

2. 足三里

①取穴：

正坐垂足，在胫骨粗隆下旁开 1 横指取之。（见图 6-10）

②适应症：

胃脘痛，腹胀，呕吐，食少，胃下垂，肠鸣，泄泻，便秘，痢疾，下肢不遂，下肢痿痹，子宫脱垂，产后血晕，乳痈，乳少，痛经，高血压，糖尿病，水肿，面神经麻痹，眼睑下垂，虚喘，小儿

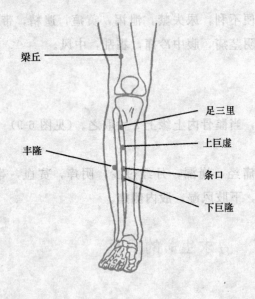

生命往往会
引起生病或身体
健康的迅速恶化，
随时要准备接受
头痛、精神紧张、
失眠……

图 6-10

疳积，荨麻疹。

3. 上巨虚

①取穴：

正坐垂足，在小腿前外侧，足三里穴下 3 寸。（见图 6-10）

②适应症：

肠炎，痢疾，肠鸣，腹痛，便秘，腰膝痛，屈伸不利，下肢不遂，脚气。

4. 条口

①取穴：

正坐垂足，在小腿前外侧，上巨虚穴下 2 寸。（见图 6-10）

②适应症：

小腿麻木，足缓不收，足下热，小腿肿痛，转筋，小腿冷痛，肩周炎。

5. 下巨虚

①取穴：

正坐垂足，在小腿前外侧，上巨虚穴下 3 寸。（见图 6-10）

②适应症：

小腹痛，肠炎，痢疾，胰腺炎，乳腺炎，喉痹，唇干，涎出不觉，足痿，足跟痛，下肢痹症，下肢瘫痪，睾丸炎并牵引腹痛，脚气。

6. 丰隆

①取穴：

正坐垂足，在小腿之外侧，条口穴外方 1 寸处。（见图 6-10）

②适应症：

胃痛，胸痛，头痛，腹泻，痢疾，便秘，哮喘，多痰，咽喉肿痛，面肿，中风，高血压，眩晕，失眠，甲状腺功能亢进，癫狂，痫症，下肢痿痹，四肢肿。

7. 解溪

①取穴：

正坐垂足，在足背与小腿交界处的横纹中央凹陷中，当胟长伸肌腱与趾长伸肌腱之间。（见图 6-11）

②适应症：

头痛，眩晕，面肿，目疾，胃热，疟疾，癫狂，便秘，厥气上逆，足腕关节肿痛，足下垂，足内翻，足跟痛，踝关节扭伤，下肢痿痹，咽炎，急性扁桃体炎，腮腺炎，急性乳腺炎。

8. 冲阳

①取穴：

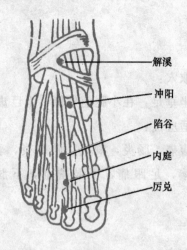

寻求健康与长寿者只要
与自然之遭相结合，你就能
获得放松的方式，如时时给
树松土，这树就一定茂盛。

图 6-11

正坐垂足，在足背最高处，当第二、第三跖骨之间，趾缝后 5 寸，动脉跳动处陷中。（见图 6-11）

②适应症：

口眼歪斜，牙痛，头面浮肿，腹胀，不思食，胃痛，癫狂，痫症，高血压，面神经麻痹，下肢瘫痪，肌肉萎缩，半身不遂，足跗肿痛，足下垂。

9. 陷谷

①取穴：

在足背，当第二、三跖骨结合部前方凹陷处。（见图 6-11）

②适应症：

足背肿痛，足趾伸屈不利，目赤肿痛，呃逆不止，腹胀，肠鸣，热病，盗汗，足下垂，类风湿性关节炎，痛风。

10. 内庭

①取穴：

正坐垂足，在第二、三趾缝缘后方 5 分处。（见图 6-11）

②适应症：

牙痛，咽喉肿痛，鼻衄，口眼歪斜，头痛，目痛，胃痛，腹胀，痢疾，发热，口渴，心烦，失眠，足趾屈伸不利。

11. 厉兑

①取穴：

正坐踏足，在第二趾外爪甲角后方约 1 分处。（见图 6-11）

②适应症：

牙痛，鼻衄，面肿，口噤，喉痹，咽喉肿痛，头痛，眩晕，发热，口渴，多恶梦，癫狂，胃痛，脘腹胀满，热病，面瘫。

六、彻底治疗一种疾病的方法

1. 大敦

①取穴：

正坐，垂足踏地，在拇趾外侧趾甲角旁 0.1 寸处取穴。（见图 6-12）

②适应症：

崩漏，阴挺，经闭，子宫内膜增生症，疝气，胁胀，少腹痛，阴肿，睾丸炎，精索神经痛，癫痫，遗尿，大便不通。

2. 行间

①取穴：

正坐，垂足踏地，在足背第一、二趾缝间纹端取之。（见图 6-12）

②适应症：

胸胁胀满，头痛，头胀，耳鸣，雀目，疝气，崩漏，月经不调，小便不利，面神经麻痹，目赤红肿，不眠，癫痫，消渴，便秘，高血压，中风先兆，睾丸炎，脑膜炎。

3. 太冲

①取穴：

正坐，垂足踏地，在足背第一，二跖骨结合部之前凹陷中取之。（见图 6-12）

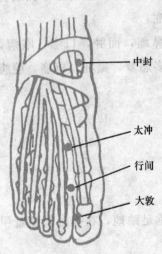

细胞做任何事情都要付出它的代价，面生命系统的货币就是能量。如果没有能量就没有生命。

中封

太冲

行间

大敦

图 6-12

②适应症：

头痛，目昏，口眼歪斜，失眠，胁痛，腹胀，疝气，崩漏，遗尿，惊厥，高血压，目赤肿痛，小儿惊风，小便不通，大埂难，乳腺炎。

4. 中封

①取穴：

正坐，垂足踏地，在内踝前1寸，胫骨前肌腱内侧凹陷中取穴。
（见图6-12）

②适应症：

遗精，阴茎痛，疝气，小腹胀，小便不利，阴痛，肝炎，坐骨神经痛，眩晕，疟疾，足痿厥冷。

5. 曲泉

①取穴：

正坐屈膝，在膝关节内侧横纹头上方凹陷中，当胫骨内髁之后，于半膜肌，半腱肌止端之前上方取穴。

②适应症：

小腹痛，小便不利，阴痒，阴肿，阴痛，遗精，睾丸炎，膝痛，癫病，肠炎，前列腺炎，闭经，不孕，月经不调，精神病。

6. 蠡沟

①取穴：

正坐垂足，在内踝尖上5寸，胫骨内侧面当中取穴。（见图6-13）

②适应症：

小便不利，月经不调，赤白带下，崩漏，疝痛，足胫痿痹，子宫内膜炎。

7. 中都

①取穴：

正坐垂足，在内踝尖上7寸，胫骨内侧面当中取穴。

（见图6-13）

②适应症：

少腹痛，泄泻，疝气，崩漏，恶露不绝，肠炎，功能性子宫出血，子宫内膜炎，急性肝炎，小腿痹痛，胁肋痛，胆绞痛。

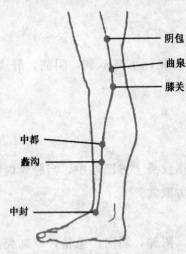

阴包

曲泉

膝关

中都

蠡沟

中封

每一个人都期盼自己的健康状况可以为外人所肯定甚至羡慕，但是在现今这个人人忽略自身存在的环境里，健康随时被疾病所袭击。

图 6-13

七、约斯兰似地放松

1. 气端

①取穴：

在足十趾尖端，距趾甲缘 0.1 寸，左右共 10 个穴。（见图 6-14）

②适应症：

足趾麻痹，足痛，脚背红肿，脚气，热病汗不止，昏迷，中暑。

2. 八风

①取穴：

足背侧，在第 1-5 趾间的缝纹端赤白肉际处取穴，一侧 4 个穴。

（见图 6-14）

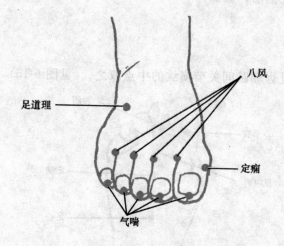

足道理

八风

定痛

气喘

时时想到关
爱自己，健康就
会伴着你！

图 6-14

②适应症：

脚背红肿，足趾麻木不仁，下肢瘫痪，蛇咬伤，脚气，疟疾，
头痛，牙痛，月经不调。

3. 节纹

①取穴：

足大趾底部横纹中。（见图 6-15）

②适应症：

癫痫。

4. 里内庭

①取穴：

在足底，第二、三跖趾关节前方凹处，与内庭穴相对。（见图 6-
15）

②适应症：

五趾止痛，小儿抽搐，癫痫。

5. 独阴

①取穴：

在足底，第二趾远端趾间关节横纹的中点取之。（见图 6-15）

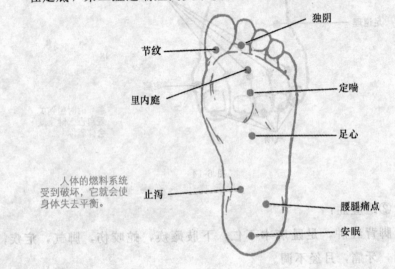

人体的燃料系统
受到破坏，它就会使
身体失去平衡。

图 6-15

②适应症：

难产，死胎，胎衣不下，月经不调，小肠疝气，卒心痛，胸腹
痛，干哕，呕吐，积聚，咳嗽痰多，胃痛。

6. 足心

①取穴：

在足底，涌泉穴后 1 寸处陷中。（见图 6-15）

②适应症：

血崩，小儿搐搦，头痛，眩晕，也可用于急救。

7. 安眠

①取穴：

在足底，足跟后缘正中线前 0.5 寸处取之。（见图 6-15）

②适应症：

失眠，足跟痛，足胫痉挛，头顶痛，腰背痛，坐骨神经痛，下肢瘫痪，下肢肌肉萎缩，下肢麻木，抽筋，小儿麻痹后遗症，癔病，精神分裂症，癫痫。

8. 冲小趾尖

①取穴：

足小趾尖端。（见图 6-16）

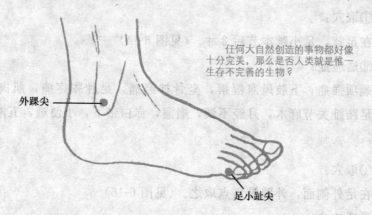

任何大自然创造的事物都好像十分完美，那么是否人类就是惟一生存不完善的生物？

外踝尖

足小趾尖

图 6-16

②适应症：催产。

9. 女膝

①取穴：

在足后跟跟骨中央赤白肉际处取之。（见图 6-17）

②适应症：

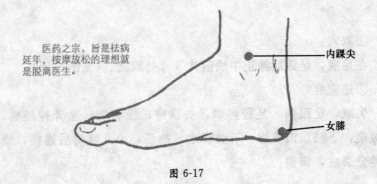

医药之宗，旨是祛病延年，按摩放松的理想就是脱离医生。

内踝尖

女膝

图 6-17

牙痛，牙槽风，齿龈炎，齿槽脓疡，惊悸癫狂。

10. 足通理

①取穴：

在足背，足小趾本节后 2 寸。（见图 6-14）

②适应症：

颈项强痛，下肢风寒湿痹，坐骨神经痛，足肿胀疼痛，肌肉萎缩，足跖趾关节麻木，月经不调，崩漏，赤白带下，小便难，五淋。

11. 外踝尖

①取穴：

在足外侧面，外踝最高点取之。（见图 6-16）

②适应症：

牙痛，扁桃体炎，偏头痛，脚气，脚外廉转。

12. 内踝尖

①取穴：

在足内侧面，内踝的高点上取之。（见图 6-17）

②适应症：

小腿内侧肌肉痉挛，脚内廉转筋，霍乱转筋，牙痛，扁桃体炎，小儿不语，恶漏。

13. 阑尾

①取穴：

正坐或仰卧屈膝，在足三里与上巨虚两穴之间压痛明显处取之。（见图 6-18）

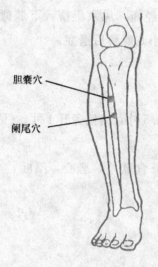

胆囊穴

阑尾穴

只有明了人体的智慧与潜能，人类才可以征服疾病和痛苦，并解除人类的负担。

图 6-18

②适应症：

急慢性阑尾炎，急腹症，下肢麻痹或瘫痪，足下垂。

14. 胆囊

①取穴：

仰卧，在小腿外侧上部，当腓骨小头前下方凹陷处直下 2 寸。（见图 6-18）

②适应症：

急慢性胆囊炎，胆石症，胆道蛔虫症，胆囊切除后胆绞痛。

15. 腰腿痛点

①取穴：

在足底，元神穴下0.5寸取。（元神穴在足跟后缘正中线上4寸，外侧旁开1寸。（见图6-15）

②适应症：

急性腰扭伤，腰痛，坐骨神经痛，风寒湿痹，下肢瘫痪，肌肉萎缩，麻木怕冷，末梢神经炎，小儿麻痹后遗症。

16. 止泻

①取穴：

在足底，足跟后缘正中线前4.5寸，内侧旁开1寸。（见图6-15）

②适应症：

腹痛，腹胀痛，泄泻，痢疾，食欲差，恶心，呕吐，小儿疳积，跟骨痛。

17. 定喘

①取穴：

在足底，涌泉穴直前1寸处。（见图6-15）

②适应症：

感冒，发热，低热，潮热盗汗，哮喘，咳嗽，胸闷，胸痛，胸胁痛，心慌，遗精，早泄，遗尿，马蹄足，小儿麻痹后遗症。

18. 定痫

①取穴：

在拇趾内侧角0.2寸取之。（见图6-14）

②适应症：

头痛，癔症，癫痫，哮喘，痛风，腹胀，腹泻，脱肛，休克，中暑，小儿惊风。

第7章 像光线一样散射的神奇作用

一、给绿树松土一样松弛法

1. 肾上腺

①解剖位置：

肾上腺位于肾的上端，左右各一个。右侧的呈三角形，与肝相连，左侧的似半月形，与胃相邻。每个肾上腺重约7克，由表面的皮质和内层的髓质构成。

②生理功能：

肾上腺皮质分泌激素，包括糖皮质激素，盐皮质激素及性激素，其功能是维持水盐代谢的平衡。皮质对人体极为重要，如将两侧皮质全部切除，可引起死亡。

③反射区位置：

位于双脚掌第二跖骨与第三跖骨之间，足底部"人"字形交叉点下凹处。（图 7-1）

④适用手法：

握足扣指法，定点按压 3-5 次。按压时节奏稍慢，渗透力要强，以出现酸，胀，痛为度。

⑤适应症：

心律不齐，昏厥，炎症，过敏，哮喘，风湿症，关节炎，肾上

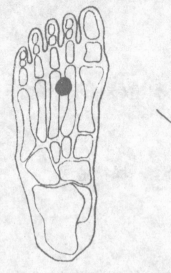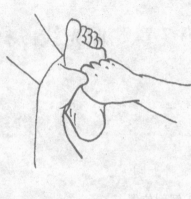

图 7-1

腺皮质功能不全等。

2. 腹腔神经丛（太阳神经丛）

①解剖位置：

腹腔神经丛又称太阳神经丛，分布于腹腔器官的周围，是交感神经及副交感神经的分支，是人体最大的植物神经丛。

②生理功能：

调节胃，肠等脏器的功能。

③反射区位置：

双脚掌中心，在肾反射区的两侧，呈环状。（图 7-2）

④手法：

用单食指扣拳法或拇指推掌法。围绕肾反射区由下缘向足趾端划弧，每侧 3 次。要求手法力度要均匀，缓慢。

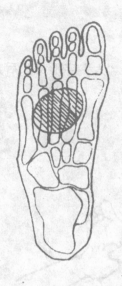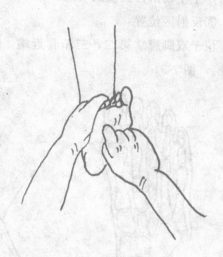

图 7-2

⑤适应症：

神经性胃肠疾病，失眠，神经衰弱，虚脱，休克，腹胀，腹泻，气闷，烦躁等。

3. 肾

①解剖位置：

肾位于脊柱两侧，腹膜后方。左肾上端与第 11 胸椎平，下端与第 2 腰椎平。右肾因在肝脏之下，比左肾低约 1 至 2 厘米，上端平第 12 胸椎，下端平第 3 腰椎。两肾上端距正中线较近，下端距正中线较远，约成八字形排列。

②生理功能：

肾是重要的排泄器官。肾的泌尿活动功能能排除机体的大部分代谢产物及进入体内的异物；调控体液中大多数晶体成分的浓度，在维持机能的内环境相对稳定方面，起着很重要的作用。此外，肾还有产生生物活性物质的功能。

③反射区位置：

位于双脚脚掌第二，三跖骨近端，脚掌"人"字形交叉后方凹陷处。（图7-3）

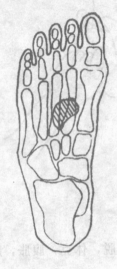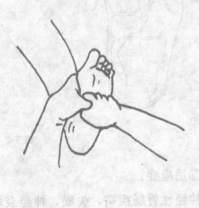

图7-3

④适用手法：

以握足扣指法，由足趾端向足跟端按摩3-5次，反射区长度约3厘米。按时节奏稍慢，渗透力要强。

⑤适应症：

各种肾脏疾病，如急性肾炎，肾功能不全，肾结石，游走肾等，以及水肿，风湿，关节炎，高血压，泌尿系统感染，前列腺炎等病症。

4. 输尿管

①解剖位置：

输尿管位于下腹腔，左右各一，为细长略扁的肌性管道。管径4-7毫米，自肾盂下行经腹腔和盆腔进入膀胱，全长25-30厘米。

②生理功能：

是输送尿液的管道。

③反射区位置：

位于双脚脚掌自肾反射区中心至膀胱反射区之间，呈一线状弧形分布。（图7-4）

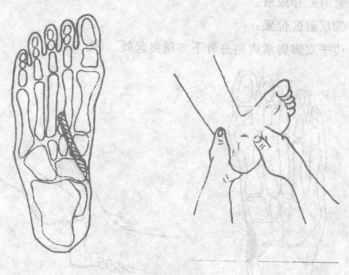

图 7-4

④适用手法：

用单食指扣拳法，由足趾端向足跟端按压，至膀胱区。按时要求力度均匀缓慢，不可滑脱。

⑤适应症：

输尿管结石。泌尿系统炎症，关节炎，高血压，动脉硬化，排尿困难，肾积水，毒血症等。

5. 膀胱

①解剖位置：

膀胱位于盆腔内耻骨联合后方，上接输尿管，下连尿道，是贮存尿液的肌性囊状器官，伸缩性很大，正常成人膀胱的容积平均350-500毫升，最大可达800毫升。

②生理功能：

暂时贮存尿液。

③反射区位置：

位于双脚脚掌内侧舟骨下方稍突起处。（图7-5）

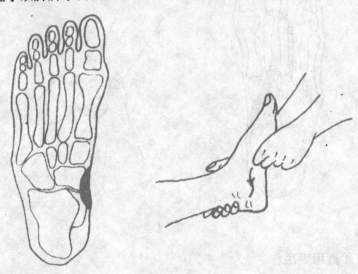

图 7-5

④适用手法：

将双足稍向外展，内侧向上，用食指关节压住反射区，用单食指扣拳法，加适当压力后稍向内或外旋转约60度左右。

⑤适应症：

肾，输尿管结石，泌尿系统感染及膀胱疾病，前列腺肥大，尿道综合症，尿潴留，醉酒等疾病。

6. 大脑

①解剖位置：

大脑是头部最重要的器官，大脑位于颅腔之中，一般重量在1200-1500克之间，约构成人体重量的五十分之一。

②生理功能：

大脑具有感觉分析功能，调节躯体运动及内脏活动功能，调节体温，生殖机能及语言，学习，记忆，思维等高级功能。

③反射区位置：

双脚拇趾末节掌面的全部。右侧大脑的反射区在左脚上，左侧大脑的反射区在右脚上。（图7-6）

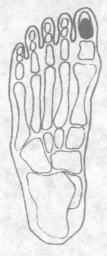

图 7-6

④适应手法：

单食指扣拳法，由拇趾趾端向足跟端压刮 3-5 次。

⑤适应症：

高血压，低血压，脑血管意外（中风），脑震荡，头晕头痛，失眠，脑血栓，视听受损，神经衰弱，神态不清等。

7. 额窦

①解剖位置：

额窦位于前额，是与鼻腔相通的含气腔隙，以中膈分为左右两部分。

②生理功能：

对发音起共鸣作用。

③反射区位置：

位于双脚拇趾尖端，右侧额窦反射区在左脚，左脚反射区在右脚上。（图 7-7）

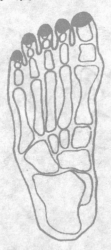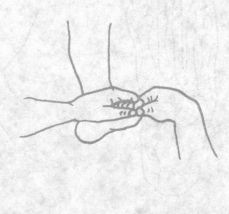

图 7-7

④适用手法：

单食指扣拳法，用一手固定拇趾，另一手食指指背关节自内向外压刮按摩 3-5 次。力量要均匀缓慢，不要滑脱。

⑤适应症：

脑中风，脑震荡，鼻窦炎，头痛，头晕，失眠，发烧及眼，耳，鼻，口腔等疾病。

8. 小脑及脑干

①解剖位置：

小脑位子后颅腔内，大脑半球枕叶的下方。脑干是由中脑，脑桥，延髓组成，位于小脑前方，大脑半球和脊髓之间。

②生理功能：

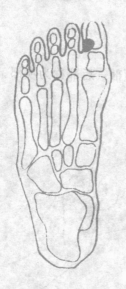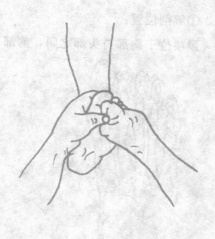

图 7-8

小脑能维持身体平衡，调节肌内张力和协调肌肉的运动。脑干具有反射机能和传导机能。反射机能指能承上启下地传导各种上行或下行的神经冲动。

③反射区位置：

位子双脚拇趾根部外侧面，靠近第二趾骨头，左半部小脑反射区在右脚上，右半部小脑反射区在左脚上。（图7-8）

④适用手法：

用扣指法或单食指扣拳法，直接向反射区由上至下按压，3-5次。

⑤适应症：

脑震荡，脑肿瘤，高血压，失眠，头痛，肌肉紧张，肌腱关节炎等疾病。

9. 颈项

①解剖位置：

颈项位于胸部与头部之间，前部称头颈部，后部称为项部。

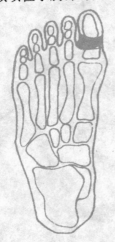

图 7-9

②生理功能：

是头部与胸部联系的要道，能协调头部向各个方位运动。

③反射区位置：

位于双脚拇趾根部横纹处，敏感点在跖面外侧，左侧颈项反射区在右脚上，右侧反射区在左脚上。（图 7-9）

④适用手法：

用扣指法沿拇趾根部（第一，二趾间）压住痛点向内侧推按，反复 3-5 次。

⑤适应症：

颈部酸痛，颈部僵硬，颈部软组织损伤，高血压，落枕等疾病。

10. 鼻

①解剖位置：

鼻是呼吸道的起始部分，分外鼻，鼻腔和副鼻窦三部分。

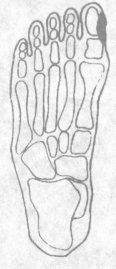
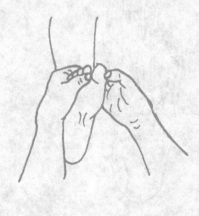

图 7-10

②生理功能：

鼻是嗅觉器官，也是呼吸器官，可过滤空气，使空气暖化、湿润。

③反射区位置：

位于双脚拇趾趾腹内侧自拇趾趾甲的根部延伸到第一趾间关节前的部位。右鼻的反射区在左脚，左鼻的反射区在右脚。（图7-10）

④适用手法：

用扣指法或拇指推掌法，压住痛点由足跟端向足趾端施力，按3-5次。或用单食指扣拳法直接按压3-5次。

⑤适应症：

鼻塞：流鼻涕，急慢性鼻炎，鼻出血，过敏性鼻炎，鼻窦炎等鼻部疾患及上呼吸道感染等。

11. 耳

①反射位置：

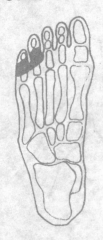
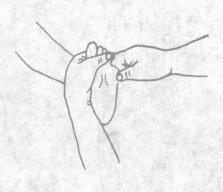

图 7-11

双脚第四、五趾双侧，掌面及根部，右耳反射区在左脚上，左耳反射区在右脚上。（图 7-11）

②适用手法：

单食指扣拳法或捏指法，每点各按压 3-5 次。

捏指法：每点各按压 3-5 次。

以上两法均按压趾根部 45 度的敏感点处顶压或按压 3 次。

在二、三趾两侧及掌面垂直各由远端至近端按推 3 次。

③适应症：

各种耳病，如中耳炎，耳鸣，耳聋，重听，鼓膜下陷，鼻咽癌等。

12. 眼

①反射区位置：

双脚第二趾与第三趾根部，包括脚底和脚背两个位置。右眼反射区在左脚上。左眼反射区在右脚上。（图 7-12）

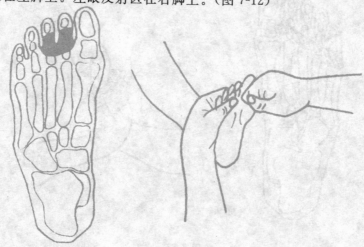

图 7-12

②适应手法：

单食指扣拳法或捏指法，每压各按压 3-5 次。

以上两法均按压趾根部 45 度的敏感点处，顶压或按压 3-5 次。

在二、三趾两侧及掌面垂直各由远端至近端按推 3-5 次。

③适应症：

结膜炎，角膜炎，近视，花眼，远视，青光眼，白内障等眼疾及眼底出血等。

13. 斜方肌

①解剖位置：

斜方肌位于项部和背部，成扁平三角形，左右二肌合成斜方形，故称斜方肌。

②反射区位置：

双足底，在眼，耳反射区后方，呈一条横带状。（图 7-13）

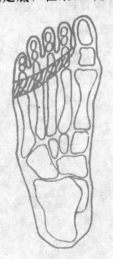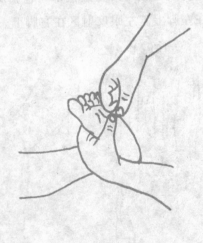

图 7-13

③适用手法：

单食指扣拳法，由内向外压刮 3-5 次。

④适应症：

颈肩酸痛，手无力，手酸麻，落枕及颈，肩，背部软组织损伤等症。

14. 三叉神经

①解剖位置：

三叉神经位于头颅两侧，是十二对脑神经的第五对。三叉神经包括眼神经，上颌神经，下颌神经，分别分布于眶腔，鼻腔和口腔各器官，其末梢神经分布于面部皮肤。

②生理功能：

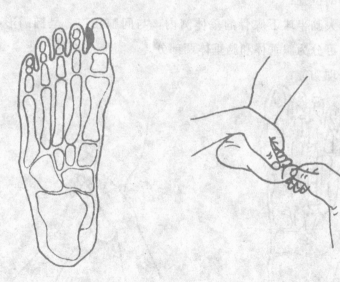

图 7-14

三叉神经是面部的感觉神经及支配咀嚼肌的运动神经。它支配眼部，下颌，下颌，口腔及面部皮肤肌肉运动及感觉。

③反射区位置：

位于双脚拇趾末节外侧上中段，在小脑反射区上前方。右侧三叉神经的反射区在左脚上，左侧反射区在右脚上。（图 7-14）

④适用手法：

．用扣指法，以一手握脚，另一手拇指指端施力，先向趾腹方向挤压，然后稍放松复位，再向足跟方向压推，重复 3-5 遍。

⑤适应症：

偏头痛，三叉神经病，面部神经麻痹及神经病，肋腺炎，耳部疾病，鼻咽癌，失眠等疾病。

15. 脑垂体

①解剖位置：

位于大脑半球下蝶骨的垂体窝内，与间脑相连，呈椭圆形，颜色灰红。可分为腺垂体和脑垂体两部分。

②生理功能：

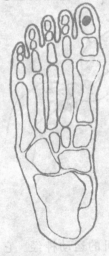

图 7-15

腺垂体是人体内最重要的内分泌腺，它与下丘脑构成一个紧密联系的功能单位，上连中枢神经系统，下接其他内分泌腺的桥梁作用。它分泌生长激素，甲状腺刺激素，肾上腺皮质刺激素及性腺刺激素，能促使肌肉生长，并影响其他内分泌腺的活动，神经垂体及具有分泌功能，只能贮存来自下丘脑的激素，其功能为使血压上升，尿量减少和子宫收缩。

③反射区位置：

双脚拇趾趾腹正中央，在脑部反射区深部。（图 7-15）

④适用方法：

以食指近节尺侧按住反射区，另一手拇指压住食指近节桡侧，然后手腕轻轻抬起，致使该区胀痛为止，反复 3-5 次。

⑤适应症：

内分泌功能失调，甲状腺，甲状旁腺，肾上腺，生殖腺，脾，胰等功能失调，小儿发育不良，遗尿，肥胖，更年期综合症，抗衰者，预防中风等。

16. 甲状腺

①解剖位置：

甲状腺位于颈前部，由筋膜固定在喉软骨上。呈棕红色重约 20-40 克，由两个侧叶和一个甲状腺峡组成。

②生理功能：

是碘的贮存处并分泌甲状腺激素，其作用是促进机体的新陈代谢，维持机体正常发育，尤其对骨骼和神经系统的发育十分重要。

③反射区位置：

双足脚底第一跖骨上 1/2 的跖骨头处至第一、二跖骨间，再向远端成弯带状。（图 7-16）

④适应手法：

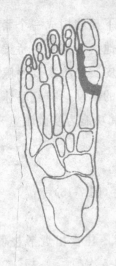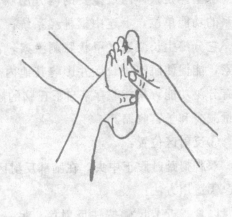

图 7-16

单食指扣拳法，由足根向趾端压刮反复 3-5 次。

拇指桡侧压推，由足跟向趾端压推，拐弯处为敏感点，再向上靠内侧面直推。

⑤适应症：

甲状腺功能亢进，甲状腺分泌不足，心悸，失眠，情绪不稳，甲状腺肿大，减肥等。

17. 甲状旁腺

①解剖位置：

甲状旁腺（又称副状腺）位于甲状侧叶后面。一般有上，下两对，为淡红色的圆形或扁平长形的小体，每个约重 0.05-0.3 克。

②生理功能：

甲状旁腺的激素有调节体内钙，磷代谢的作用。若甲状旁腺被全部切除时，血钙的浓度降低，则出现手足搐弱，可致死亡。

③反射区位置：

双脚脚掌第一跖趾关节外侧凹隐处。（图 7-17）

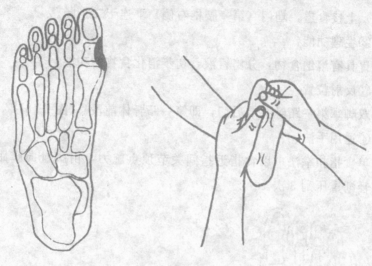

图 7-17

④适应手法：

单食指扣拳法，以食指弯曲处尽量找到并平行卡入第一跖趾关节，向前顶入关节缝内，以感到酸胀为好，反复 3-5 次。扣指法，用一手拇指指端扣入关节缝内按压，患者感到酸胀为止，反复 3 次。双指钳法：一手握脚，另一手食指，中指弯曲呈钳状夹住被施术者的拇趾，以食指第二节骨内侧压住反射区位置，以拇指加压至有酸胀感为度，定点按压 3-4 次。

⑤适应症：

甲状旁腺功能低下引起的缺钙症状，如筋骨酸痛，抽筋，手足麻痹等痉挛，指甲脆弱，白内障，并可用于癫痫发作时的急救等。

18. 胃

①解剖位置：

胃大部分位于季肋区，小部分位子腹上部。以贲门（十一胸椎左侧）上接食道，幽门（第一腰椎右侧）下连十二指肠。

②生理功能：

胃具有溶纳食物，分泌胃液，初步消化食物的功能。

③反射位置：

双脚掌第一跖趾关节后门，即第一跖肾体前段。（图 7-18）

④适用手法：

单食指扣拳法，以食指近指间关节顶点施力，由脚趾向脚跟方向从轻渐重压刮 3 次。

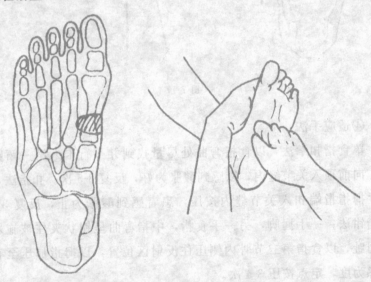

图 7-18

⑤适应症：

急慢性胃炎，十二指肠溃疡，胃痉挛，急性胃肠炎，恶心，呕吐，胃酸过多，厌食症，消化不良，胃下垂，胃痛，胃胀等。

19. 脾

①解剖位置:

脾位于左季肋区的后外侧,胃底与膈之间,与第9-11肋骨相对。脾为椭圆形器官,质软而脆,呈暗红色,受暴力打击易破裂,造成致命性出血。

②生理功能:

脾有贮血功能,贮有约30%血小板,能产生淋巴细胞,并产生机体参与体内免疫应。脾能吞噬死亡和衰老的红细胞,为红细胞"修壁"结构,吞噬细菌和清除血液中的其他异物。

③反射区位置:

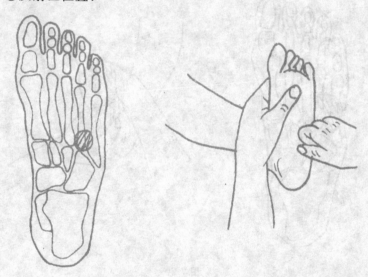

图 7-19

左脚脚掌第四,五跖骨间基底段,心脏反射区下方约 2 横指处,横向和十二指肠相对。(图 7-19)

④适用手法:

单食指扣拳法，直接向下按压 3-4 次。

⑤适应症：

贫血，食欲不振，小儿厌食，消化不良，发热，各种炎症，免疫功能低下，再生障碍性贫血月经不调等，尤其对皮肤科疾病有特殊疗效。

20. 肝

①解剖位置

肝位手腹腔右上部，为人体最大脾体，重约 1500 克。

②生理功能：

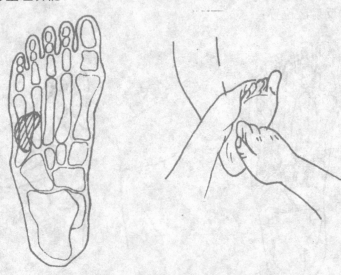

图 7-20

肝不仅分泌胆汁参与消化活动，还有代谢，贮存糖原，解毒，吞噬，防御功能。

③反射区位置：

右脚掌第四、五跖骨上半部，前方与肺反射区重叠少部分。（图

7-20）

④适用手法：

单食指扣拳法：自足趾向足跟外端施力压刮 3-5 次。

⑤适应症：

肝脏疾患如肝炎，肝硬化，肝肿大，肝功能失调，胆囊和胆管疾患等。

21. 胆囊

①解剖位置：

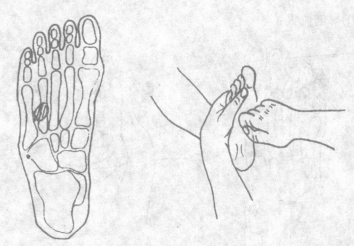

图 7-21

胆囊位于肝右叶下方，容易约 40-50 毫升。

②生理功能：

贮存和浓缩胆汁，进食时将胆汁排入十二指肠，对食物进行消化。

③反射区位置：

右脚掌第三、四跖骨间中上部，位于肝脏反射区之内。（图 7-

21)

④适用手法：

单食指扣拳法，以食指近指节顶点施力，定点向深部足跟方向
顶压或压刮 3-5 次。

⑤适应症：

胆囊炎，胆石症，胆道蛔虫，厌食症，消化不衰，高脂血症，
胃肠功能紊乱，黄疸病和肝炎等。

22. 胰

①解剖位置：

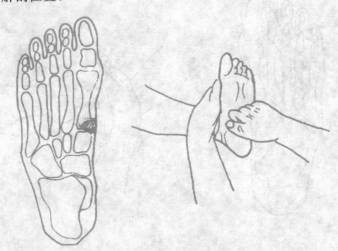

图 7-22

胰位于胃的后方，横贴于腹后壁，平第一，第二腰椎处，外形
狭长呈三棱形，重约 70 克。

②生理功能：

胰兼有内分泌和外分泌功能。内分泌——分泌胰岛素等激素，
对人体内糖的代谢及其他营养特质的代谢起重要的调节作用。外分

泌——分泌胰液，对消化过程起重要作用。

③反射区位置：

双脚掌第一跖骨体中下段，在胃和十二指肠反射区之间。（图7-22）

④适用手法：

单食指扣拳法，以食指近指间关节顶点施力，由脚趾向脚跟方向从轻渐重压刮3-5次。

⑤适应症：

消化系统及胰脏本身疾病，糖尿病，胰腺炎等。

23. 心脏

①解剖位置：

心脏是中空的肌性器官，位于胸腔的前纵隔内，左右肺之间，三分之二在中线的左侧。

②生理功能：

心脏是血管系统的中枢，它不断地有节律地搏动，以推动血液循环的正常进行。

③反射区位置：

脚掌第四、五跖骨头颈间，肺反射区后方，一部分被肺反射区遮盖。（图7-23）

④适用手法：

检查手法：拇指推掌法，从足跟端至足趾端轻轻瓣推按3-5次。

单食指扣拳法：以食指指间关节背面向脚趾方向压刮3-5次。

单食指扣拳法：以食指指间关节顶点施力，垂直定点按压3-5次。

保健手法：补法，用第一种手法——拇指推掌法，分轻，中，重，三步方向由近端向足趾端。

图 7-23

泻法：用第二、三种手法——单食指扣拳法，分轻，中，重三步，方向相反，由远端向近端施术。

保健手法要求力度不可过重，原则是先用轻手法，如患者能承受可适当加力。

⑤适应症：

心脏疾病，如心绞痛，心肌梗塞的恢复期，心力衰竭的恢复期心律不齐，心脏功能不合及循环系统的疾病等。

24. 肺及支气管

①解剖位置：

肺位于胸腔之内，纵隔两侧，左右各一，中间为心脏。气管入肺后经过反复分支，越分越细，是为支气管树。

②生理功能：

为了维持人体的新陈代谢和功能活动，必须不断从外界摄取氧气，并将二氧化碳排出体外，肺是进行气体交换的主要场所。

③反射区位置：

位于双足斜方肌反射区后方（向足跟方向），自甲状腺反射区向外到肩反射区处的一横指的带状区域。（图 7-24）

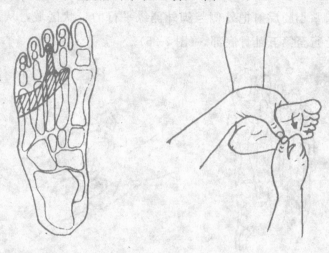

图 7-24

支气管敏感带：自肺反射区中部向第三趾延伸。

④适用手法：

单食指扣拳法，自内向外压刮 3-5 次，对支气管敏感带改用拇指拇端施力按摩 3-5 次。

⑤适应症：

肺部炎症，急慢性支气管炎，肺结核，肺气肿，支气管哮喘，上感，胸闷，气急等。

25. 升结肠

①解剖位置：

升结肠位于右腹部，连接盲肠，沿腹后壁右侧升至肝右叶下面转向左，形成结肠右曲，转入横结肠。

②生理功能：

吸收营养物质，运送废料。

③反射区位置：

右脚掌小肠反射把外侧与脚外侧缘平行的带状区域，从足跟前缘外侧上行至第五趾骨底部。（图 7-25）

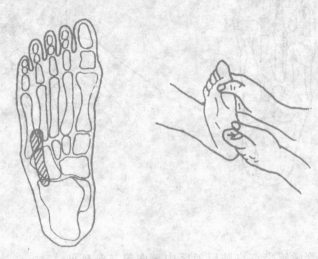

图 7-25

④适用手法：

单食指扣拳法，以食指第一指间关节顶点施力，由脚跟向脚趾方向压刮 3-5 次。

⑤适应症：

消化系统疾患，如腹泻，腹痛，肠炎，便秘等。

26. 肛门

①解剖位置：

位子盆腔的最下方，上端与直肠相连。

②生理功能：

排出大便的最后通道。

③反射区位置：

左脚掌跟骨前缘，乙状结肠及直肠反射区的末端，与膀胱区相邻。（图7-26）

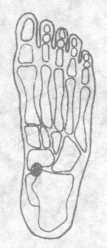

图 7-26

④适用手法：

单食指扣拳法，以食指近指节顶点在肛门反射区垂直，定点按压3-5次。

⑤适应症：

便秘，痔疮，瘘道等。

27. 乙状结肠和直肠

①解剖位置：

乙状结肠位于左下腹髂窝内，呈乙字形弯曲，上接降结肠，向下进入盆腔与直肠相连。直肠位于左下腹盆腔内，骶，尾骨的前方，长约2-5厘米，上接乙状结肠下接肛门。

②生理功能：

运送大便至肛门排出。

③反射位置：

右脚掌跟骨前缘成一横带状。（图7-27）

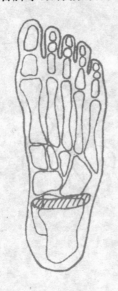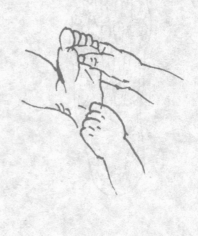

图 7-27

④适用手法：

单食指扣拳法，从反射区外侧向内侧压刮3-5次。

⑤适应症：

乙状结肠及直肠疾患，如炎症，息肉，便秘，痔疮等。

28. 降结肠

①解部位置：

降结肠始于结肠左曲，与横结肠相接，沿腹后壁左侧下

降至右髂山脊处，移动于乙状结肠。

②生理功能：

吸收营养物质，运送废料。

③反射区位置：

在左脚掌中部，前接横结肠外侧端，沿脚外侧平行线成

竖条状，和四，五跖骨间相对。（图 7-28）

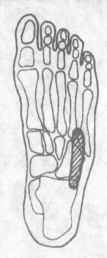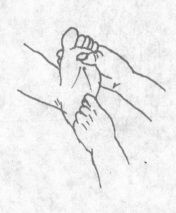

图 7-28

④适用手法：

单食指扣拳法，由脚趾向脚跟方向压刮 3-5 次。

⑤适应症：

便秘，腹泻，腹痛，肠炎等。

29. 横结肠

①解剖位置：

横结肠位于腹部，全部被腹膜所包裹。起自右上腹，接升结肠向左腹部至脾脏附近，转向下接降结肠。后方借横结肠系膜附着于右肾，十二指肠与胰腺的前面。

②生理功能：

吸引营养物质运送废料。

③反射区位置：

位于双脚掌中间的跖跗关节处，横越脚掌成一条带状区。（图7-29）

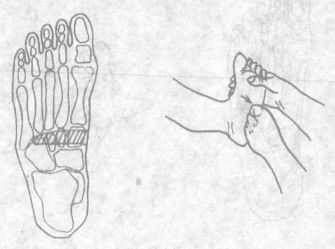

图 7-29

④适用手法：

单食指扣拳法，按带状行走压刮。以食指中节近端施力，左脚由内向外压刮，右脚由外向内侧压刮各3-5次。

⑤适应症：

消化系统疾患，如腹泻，腹痛，肠炎，便秘等。

30. 小肠

①解剖位置：

位于腹腔中下部，上起自胃的幽门，下至盲肠，与大肠相连接，长约5-7公尺。

②生理功能：

小肠是食物消化吸收最重要的场所，小肠能不断蠕动，使内容物向前运动，同时，分泌肠液进行消化并吸收营养成分。小肠有淋巴组织，可消灭有害的细菌。

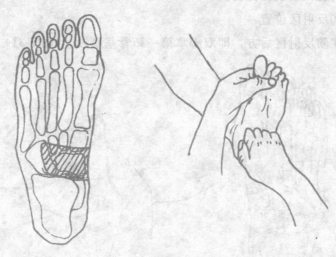

图 7-30

③反射区位置：

双脚掌楔骨部位至跟骨间凹陷区域，被大肠反射区所包围。（图7-30）

④适用手法：

对指拳法，四指弯曲，同时由足趾端向足跟端压刮 4-6 次。要求快速，均匀，有节奏。

⑤适应症：

消化系统的疾患，如胃肠胀气，腹泻，腹痛，急慢性肠炎等。

31. 十二指肠

①解剖位置：

十二指肠位于右上腹，是小肠的起始部分，全长约 25-30 厘米，上接胃的幽门，下连小肠，呈 C 字形包围着胰头。

②生理功能

消化及吸收营养物质。

③反射区位置：

在胰反射区后方，即双脚掌第一跖骨基底段。（图 7-31）

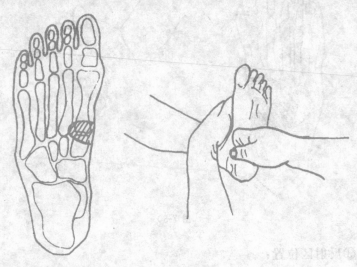

图 7-31

④适用手法：

单食指扣拳法，以食指近指间关节顶点施力，由脚趾向脚跟方向从轻渐重压刮 3-5 次。

⑤适应症：

胃及十二指肠痼患，如腹胀，消化不良，十二指肠溃疡，食欲不振，食物中毒等。

32. 回盲瓣

①解剖位置：

回盲瓣位于回肠遍入盲肠入口处。

②生理功能：

有延缓小肠内食物进入大肠，使之得到充分消化吸收，并防止大肠内容物逆流入回肠的作用。

③反射区位置：

右脚掌跟骨前方靠近外侧，位子盲肠上方。（图 7-32）

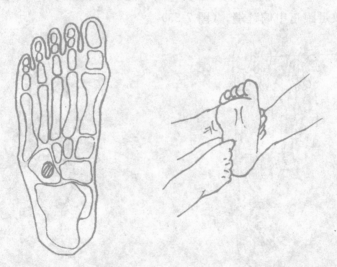

图 7-32

④适用手法：

单食指扣拳法，定点按压 3-5 次。

⑤适应症：

增强回盲瓣的功能，消化系统吸收障碍性疾病及其他回盲部疾病等。

33. 生殖腺

①解剖位置：

男性生殖腺是睾丸，位于阴囊内，左右各一。女性生殖腺是卵巢，位于骨盆内，左右各一。

②生理功能：

睾丸是生产精子和分泌雄性激素的器官。卵巢是生产卵子和分泌雌性激素的器官。

③反射区位置：

双足跟正中偏趾端。（图 7-33）

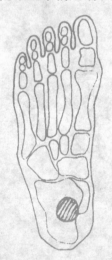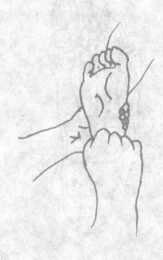

图 7-33

④适用手法：

单食指扣拳法，定点按压 3-5 次。

⑤适应症

性功能低下，不孕症，月经不调，痛经更年期综合症，子宫发育不良等。

34. 盲肠和阑尾

①解剖位置：

盲肠位于右下腹，是大肠的起始部，上接小肠，下连升结肠。盲肠内下方是阑尾，位于右髂窝内。

②反射区位置：

右脚掌跟骨前缘靠近外侧，与小肠和升结肠的反射区连接。（图7-34）

③适用手法：

单食扣拳法，以食指近指间关节顶点施力，定点按压3-5次。

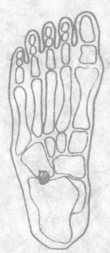 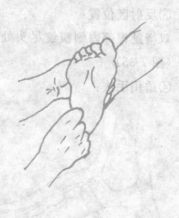

图 7-34

④适应症：腹胀，阑尾炎等。

二、足内侧

1. 颈椎

①解剖位置：

椎位于脊椎最上端，由七节颈椎体构成，棘突短而分叉，突上有孔称横突孔。横突末端有两个结节，称前结节和后节。第六颈椎的前结节较大，颈总动脉经某面上行，头部受伤严重出血时，可在此压迫颈总动脉暂时止血进行急救，所以又称颈动脉结节。

②生理功能：

支持头部做各种运动。

③反射区位置：

双拇趾根部内侧横纹尽头处的凹陷区域，内侧拇指，趾关节前后。（图7-35）

④适用手法：

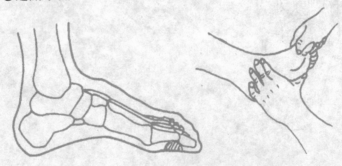

图 7-35

扣指法：由足趾端至趾跟端压推3-5次。双指钳法：为食指中节指骨内侧固定于反射区位置，以拇指加压3-5次。

⑤适应症：

颈项强硬，酸痛，各种颈椎病变（骨刺及因颈椎病引起的手麻，手痛等症）。

2. 胸椎

①解剖位置：

胸椎位于脊椎的上端，上按颈椎，下连腰椎，由 12 节胸椎骨构成。

②生理功能：

胸椎是脊椎的一段。脊椎作为人身体的支柱，在活动时保持全身平衡。脊椎既有神经传导机能，也有反射机能。

③反射区位置：

双脚足弓内侧缘第一跖骨下方从拇趾关节直到楔骨关节止。（图7-36）

④适用手法：

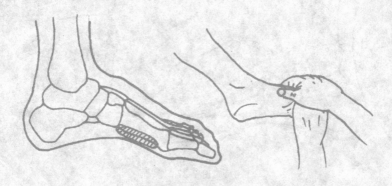

图 7-36

推掌加压法，由足趾端至足跟端紧压足弓骨骼的底缘，由足跟端推压 3-5 次。

⑤适应症：

肩背酸痛，胸椎骨刺，椎间盘突出和其他胸椎疾患及胸腹腔内脏疾患等。

3. 腰椎

①解剖位置：

腰椎位子脊椎的中段，上接胸椎，下连骶骨；由五节腰椎骨构成。

②生理功能：

腰椎是脊椎的一段。脊椎是人体的支柱，在活动时保持身体平衡。脊椎既有神经传导机能，也有反射机能。

③反射区位置：

双脚足弓内侧缘（楔骨至舟骨下方），上推胸椎反射区下接骶骨反射区。（图 7-37）

④适用手法：

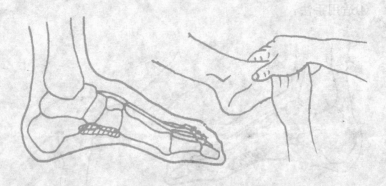

图 7-37

推掌加压法，由足趾端至足跟端紧压足弓骨骼的底缘向足跟端推至足弓中部反复 3-5 次。

⑤适应症：

腰背酸痛，腰椎间盘突出，腰椎骨质增生和腰椎其他疾患及腹腔脏器病等。

4. 骶骨

①解剖位置：

骶骨位于脊椎的末段，上接腰椎，下连尾骨，由五块骶椎融合而成，呈三角形，略带弯曲。

②生理功能：

骶椎是脊椎的一段，脊椎是人体的支柱，在活动时保持身体平衡，脊椎既有神经传导机能，也有反射机能。

③反射区位置：

双脚足弓内缘（距骨后方到跟骨止），前接腰椎反射区，后连尾骨反射区。（图 7-38）

④适用手法：

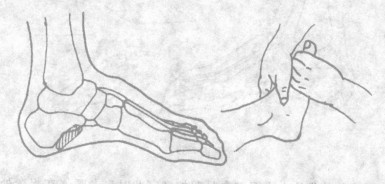

图 7-38

推掌加压法，由足趾端紧压足弓骨骼的前缘，向足跟端推压 3-5 次。

⑤适应症：

骶骨骨质增生，骶骨受伤，骶关节伤痛，坐骨神经痛及盆腔脏器疾患等。

5. 内尾骨

①解剖位置：

尾骨是脊椎的尾部，由 4-5 块退化的尾椎结合而成，形体较小，上部与骶骨相连，下端游离。

②生理功能：

尾骨是脊椎的最末端，脊椎作为人体的支柱，在活动时保持全身平衡，脊椎既有神经传导机能，也有反射机能。

③反射区位置：

双脚跟部之脚掌内侧缘，沿跟结节向后呈带状区域。（图 7-39）

④适用手法：

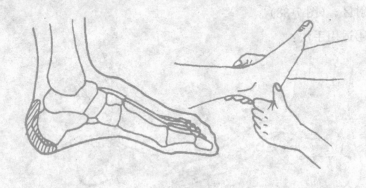

图 7-39

单食指钩掌法，由跟腱向足跟按摩（此时患者呼气在拐弯处顿一下，同时吸气），然后在吸气的同时由足跟向足掌方向按摩，压刮 3-5 遍。

⑤适应症：

坐骨神经痛，尾骨受伤后遗症和生殖系统疾患等。

6. 前列腺或子宫

①解剖位置：

前列腺位于膀胱下方，围绕膀胱颈和尿道起始部，被尿道和射精管贯穿，后面与直肠相连。子宫是中空的肌性器官，位于盆腔中央，前邻膀胱，后依直肠。

②生理功能：

前列腺分泌乳白色的弱碱性液体，为精液的主要成分。老年人可因前列腺增生形成前列腺肥大，压迫尿道，致使排尿困难。子宫是受精卵发育成长为胎儿的场所。

③反射区位置：

脚跟内侧，内踝后下方的三角形区域。前列腺或子宫的敏感点在三角形直角顶点附近，子宫颈的敏感点在三角形斜边的上段，尿道及阴道反射区在尽头处。（图 7-40）

④适用手法：

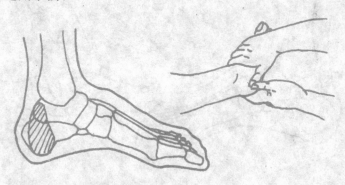

图 7-40

拇指推掌法，自足跟向近心端压推 3-5 次。双拇指扣掌法，自足跟端向近心端压推 3-5 次。

⑤适应症：

男性，前列腺肥大，前列腺炎，尿频，排尿困难，尿血，膀胱和尿道疼痛等。

女性：子宫肌痛，子宫内膜炎和子宫下垂及其他子宫疾患等。

7. 下身淋巴腺

①解剖位置：

下身淋巴腺位于肚脐以下，包括腹部，盆腔部及下肢的淋巴系统（淋巴结与淋巴管）。

②生理功能：

淋巴有重要的免疫功能。淋巴液的回流能回收蛋白质，运送营养物质，对维持人体正常生命活动有重要意义。

③反射区位置：

双脚内踝前下方（距骨，舟骨间）之凹陷处。（图 7-41）

④适用手法：

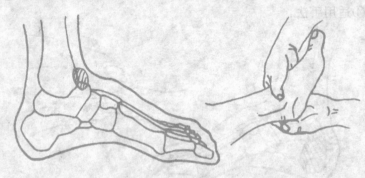

图 7-41

单食指扣拳法，食指关节弯曲对准反射区并向上旋转，使食指背节平行插入骨缝中适度按压，以感到酸胀而无刺痛为度，反复3遍。

捏指法，用拇指侧缘压入骨缝中，按压3-5次，双手协作，以有酸胀感为度。

⑤适应症：

各处炎症，发热，水肿，囊肿，肌瘤，蜂窝组织炎，增强免疫和抗癌能力等。

8. 髋关节

①解剖位置：

髋关节由髋臼和股骨头构成，是躯体与下肢的连接部。

②生理功能：

是下肢作屈，伸，收，展，内旋及外转活动的器官。

③反射区位置：

双脚内踝外下方和后方。（图 7-42）

④适用手法：

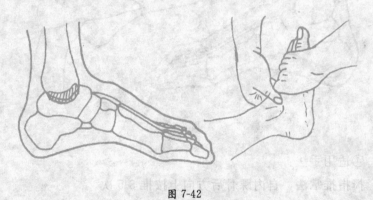

图 7-42

捏指法，围绕内踝由前往后压推 3-5 次。

⑤适应症：

髋关节痛，坐骨神经痛，腰背痛等。

9. 直肠肛门

①解剖位置：

直肠是大肠的末段，长约12-15厘米，位于盆腔内，骶尾骨的前方，上接乙状结肠，下连于肛门。

②生理功能：

暂时储存并排出粪便。

③反射区位置：

胫骨内测后方与跟腱间的凹陷中。从踝骨后方向上延伸4横指的一带状区域内。（图7-43）

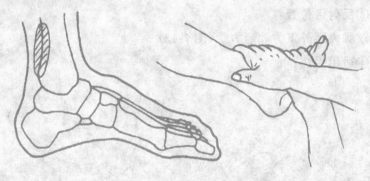

图 7-43

④适用手法：

拇指推掌法，自内踝骨后方向上按推3-5次。

⑤适应症：

痔疮，便秘，乙状结肠，直肠和肛门病症等。

10. 内侧坐骨神经

①解剖位置：

坐骨神经是全身最粗大的神经，从盆腔经大转子与坐骨神经结节之间达股后，下降至腘窝上方分为胫神经与腓总神经。坐骨神经在肢后分支布于股肌后群。

②生理功能：

支配肌肉运动及感觉。

③反射区位置：

双腿内踝关节后方起，沿胫骨内后缘上行至胫骨内髁下方的凹陷处为止。（图 7-44）

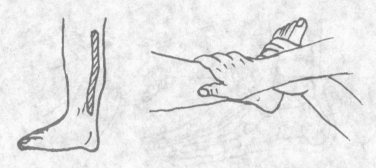

图 7-44

④适用手法：

拇指推掌法，由远心端向近心端握推 3-5 次。注意有否颗粒状痛性结节（提示糖尿病）。

⑤适应症：

坐骨神经痛，坐骨神经炎，糖尿病等。

三、抚慰心灵　伸展身体

1. 肘关节

①解剖位置：

肘关节属于复合关节，由肱骨下端和桡，尺骨上端构成。包括肱尺关节，肱桡关节，桡尺关节，三个关节包在一个关节囊内。

②生理功能：

可作屈，伸动作。

③反射区位置：

双脚掌外侧第五跖骨与楔骨之关节突起的前后两侧。

（图 7-45）

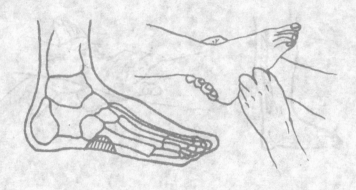

图 7-45

④适用手法：

单食指扣拳法或双指扣拳法。在第 5 跖骨基底的两侧（前，后）各向中部按压 3-5 次。

⑤适应症：

肘关节受伤，酸痛，肘关节炎等。

2. 肩关节

①反射区位置：

双脚掌外侧第五跖趾关节处。（图 7-46）

②适用手法：

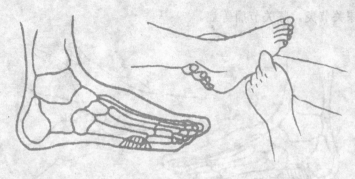

图 7-46

单食指扣拳法，可分侧，前，后由足趾至足跟方向，3 个部位各压刮 3-5 次。

③适应症：

肩周炎，手臂无力，肩酸痛，手麻等。

3. 膝关节

①解剖位置：

膝关节由股骨内，外侧踝胫骨内，外侧踝及髌骨构成。

②生理功能：

可进行屈，伸运动，当屈膝时，在垂直轴上，小腿可作轻度的内施，外旋运动。

③反射区位置：

双脚掌外侧骰骨与跟骨间的凹陷处。（图 7-47）

④适用手法：

单食指扣拳法。膝分几部分，前膝，膝两侧，腘窝，分别各做 3-5 次。先定点按压腘窝处 3-5 次，环绕反射区半月形周边压刮 3-5 次。

⑤适用应症：

膝关节炎，膝关节痛等症。

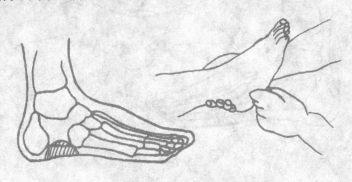

图 7-47

4. 外尾骨

①解剖位置：

尾骨是脊椎的尾部，由 4-5 块退化的尾椎结合而成，形体较小，上部与骶骨相连，下端游离。

②生理功能：

尾骨是脊椎的尾部，脊椎作为人体的支柱，在活动时保持全身平衡。脊椎既有神经传导机能，也有反射机能。

③反射区位置：

双脚外侧足跟韧带，沿跟骨结节后方外侧的一带状区域。（图 7-48）

④适用手法：

单食指扣拳法，以食指内侧施力，先自足跟跟腱处由上而下压至足跟部外侧，在该处改为以食指指间关节顶点施力，进行定点按压后轻轻抬起，再沿足跟外侧缘向脚趾方向压刮止于膝反射区，重夏 3-5 次。

⑤适应症：

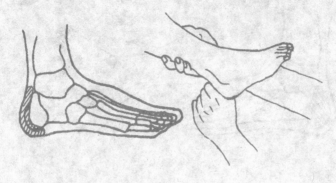

图 7-48

坐骨神经痛，尾骨受伤后遗症等。

5. 生殖腺（卵巢、睾丸）

①解部位置：

男性生殖腺是睾丸，位于阴囊内，左右各一。

女性生殖腺是卵巢，位于盆腺内，左右各一。

②生理功能：

睾丸是生产精子和分泌雄性激素的器官。卵巢是产生卵子和分泌雌性激素的器官。

③反射区位置：

双脚外踝后下方与跟膝前方的三角形区域（与前列腺或子宫的位置相对称），睾丸，卵巢的敏感点在三角形直角顶点附近。（图 7-49）

④适用手法：

单食指钩法，向足底压刮 3-5 次。

⑤适应症：

性功能低下，不孕症，月经不调，痛经，更年期综合症等。

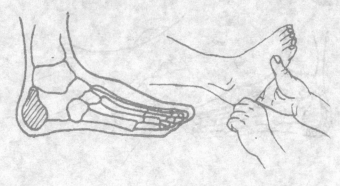

图 7-49

6. 上身淋巴腺

①解剖位置：

上身淋巴腺，是指肚脐以上，领部以下，包括胸部与上肢的淋巴系统（淋巴管与淋巴结）。

②生理功能：

淋巴有重要的免疫功能，淋巴液的回流能回收蛋白质，运送营养物质等对维持人体正常生命活动有重要意义。

③反射区位置：

双脚外跟骨前，由跟骨，舟骨间下方构成的凹陷处。（图 7-50）

④适用手法：

单食指扣拳法或用食指钩掌法，以食指背尖端平行插入缝中轻轻按压至有酸胀感，重复 3-5 次。

将左手拇指侧峰对准该区凹陷，用右手拇指平行适度压入至有酸胀感，重复 3-5 次。

⑤适应症：

各种炎症，发热，囊肿，肌瘤，蜂窝组织炎，增强免疫力和抗癌能力。

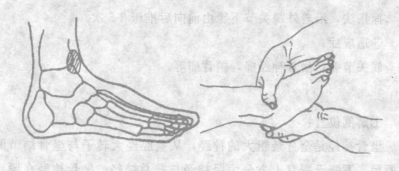

图 7-50

7. 髋关节

①解剖位置：

髋关节由髋臼和股骨状构成，是躯体和下肢的连接部。

②生理功能：

可作屈，伸，收，展内旋及外转运动。

③反射区位置：

双脚外踝骨下及外缘。（图 7-51）

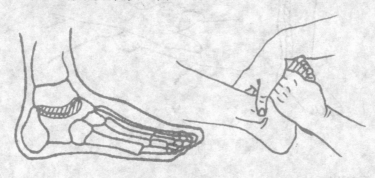

图 7-51

④适用手法：

捏指法，沿着外踝关节下缘由前向后推压3-5次。

⑤适应症：

髋关节痛，坐骨神经痛，腰背痛等。

8. 外侧坐骨神经

①解剖位置：

坐骨神经是全身最粗大的神经，从盆腔经大转子与坐骨结节间达股后，下降至腘窝上方分为胫神经与腓总神经。坐骨神经在股后分支布于股肌后群。

②生理功能：

支配肌肉运动及感觉。

③反射区位置：

双小腿外侧，位于腓骨后端，起自外踝关节外后方向上至腓骨小头后下方。（图7-52）

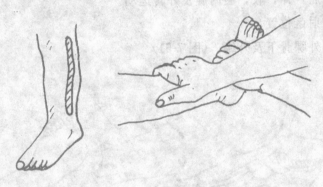

图 7-52

④适用手法：

用拇指推掌法，自足远心端向近心端缓慢压推3-5次。

⑤适应症：

坐骨神经痛，坐骨神经炎及膝和小腿部病痛。

9. 下腹部

①解剖位置：

下腹部是推盆腔，有膀胱，前列腺，子宫，阴道，直肠等器官。

②反射区位置：

双脚腓骨外侧后方，自脚外踝骨后方向上延伸 4 横指的一带状凹陷区域。（图 7-53）

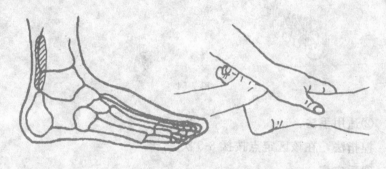

图 7-53

③适用手法：

拇指推掌法或双拇指扣掌法，自外踝关节后方起向上推 3-5 次。

④适应症：

用于妇科疾患，如月经不调，痛经及其他下腹部疾患等。

四、自然是你 DIY 的修理店

1. 内肋骨

①反射区位置：

双脚背第一楔骨与舟骨间的凹陷处。（图 7-54）

图 7-54

②适用手法：

捏指法，在该区定点按揉 3-5 次。

③适应症：

肋骨的各种病变，胸闷岔气，肋膜炎和内脏疾患等。

2. 腹股沟

①解剖位置：

腹股沟是指下腹部两侧的三角区域。男性的精囊，女性的子宫圆韧带通过腹股沟管，腹壁在此形成一条裂隙。

②生理功能：

当站立时该区承担的腹内压力比平卧时高三倍，故疝多生于此区。

③反射区位置：

内踝尖正前方骨凹陷外。（图 7-55）

④适用手法：

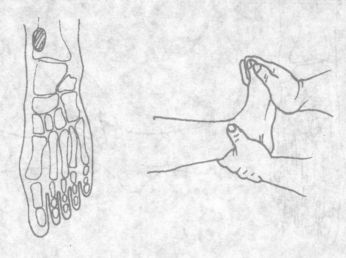

图 7-55

捏指法，用拇指指腹施力，定点按压 3-5 次。

⑤适应症：

生殖系统疾患，疝，性功能障碍，精索静脉曲张等。

3. 肩胛骨

①解剖位置

肩胛骨位于背部，界于第二至第七肋骨之间是三角形的扁骨。

②生理功能：

保护胸廓后壁，协助肩关节活动。

③反射区位置：

双足背第四，五跖骨与楔骨间，呈一带状区。（图 7-56）

④适用手法：

双拇指扣掌法，沿足趾向近心端推按至骨突处，左右分开，反复 3-5 次。

⑤适应症：

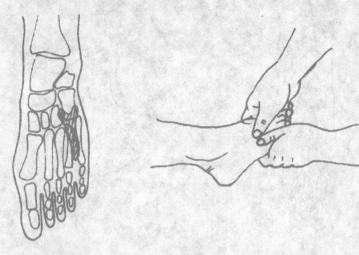

图 7-56

肩背酸痛，肩关节活动障碍，肩周炎等。

4. 外肋骨

①解剖位置：

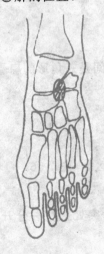

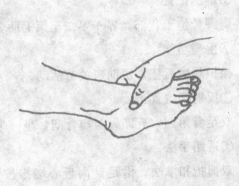

图 7-57

肋骨是指第十一，十二对肋骨，它们游离于腹壁层中，才分为浮肋。

②反射区位置：

双脚第四楔骨与第三楔骨之凹陷中。（图 7-57）

③适用手法：

扣指法，在该区用拇指或食指指端按揉 3-5 次。

④适应症：

各种肋骨疼痛，胸闷，胸膜炎，肩周炎，中老年肩背痛等。

5. 解溪

①解剖位置：

趾长伸肌腱与拇长伸肌腱肌腱中间的陷凹中，在足背和小腿交界的横纹处。

②反射区位置：

两踝关节前横纹中点两筋间。（图 7-58）

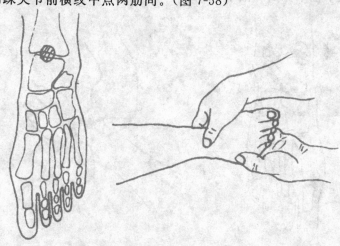

图 7-58

③适用手法：

拇指推掌法，拇指指端在该区定点按揉3-5次。

④适应症：

踝扭伤，足下垂，头痛，肾炎，肠炎，癫痫，腿，肺及气管疾患等。

6. 上，下身淋巴腺

①解剖位置：

上身淋巴腺是指肚脐以上，颈部以下，包括胸部与上肢的淋巴系统。下身淋巴腺位子肚脐以下，包括腹部，盆腔及下肢的淋巴系统。

②生理功能：

淋巴有重要的免疫功能。

③反射区位置：

上身淋巴腺位于双脚外踝关节前下方凹陷中，下身淋巴腺位于内踝关节前下方的凹陷中。（图7-59）

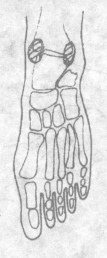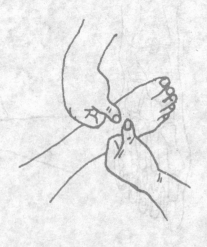

图 7-59

④适用手法：

拇食指扣拳法，双手食指关节弯曲部位找到位置后平行适度压入，达到有酸胀感而无刺痛为佳，反复3-5次。

⑤适应症：

各种炎症，发热，囊肿，踝部肿胀，抗体缺乏，癌症等。

7. 横膈膜

①解剖位置：

膈是肌肉性构造，呈弯窿状，凸向上，封闭胸廓下口，将胸腔与腹腔分隔成两部分。

②生理功能：

膈是重要的呼吸肌，通过收缩与松弛帮助呼吸。还通过收缩增加腹压，促进排便及分娩。

③反射区位置：

双足背跖骨，楔骨关节处，横跨脚背左右侧的一个带状区域。（图 7-60）

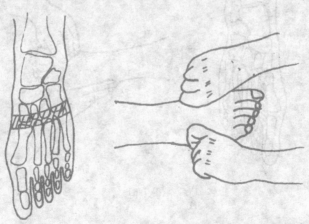

图 7-60

④适用手法：

双手单食指钩掌法，自横膈膜中央向两侧刮压 3-5 次。

⑤适应症：

呃逆，恶心，呕吐，膈肌痉挛，横膈膜症，腹痛等。

8. 胸部淋巴腺

①解剖位置：

胸部淋巴腺包括胸导管，乳糜池，胸腺等。

②生理功能：

胸导管是全身最大的淋巴管，收纳占全身四分之三的淋巴。胸腺具有内分泌功能。分泌胸腺素，能使来自骨髓等处的原始淋巴细胞，从无免疫能力转化为具有免疫能力的 T 细胞。

③反射区位置：

双足背第一、二跖骨间。（图 7-61）

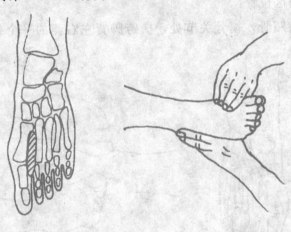

图 7-61

④适用手法：

单食指钩掌法，中指相助，压入反射区，沿第一跖骨外侧由近心端向足趾方向按摩 3-5 次。

⑤适用症：

各种炎症，癌症，肿瘤，胸痛等。

9. 气管

①解剖位置：

气管为略扁平的圆筒状的管道，具有弹性。上端与喉相连，向下进入胸腔。

②生理功能：

是呼吸气管，把空气传送到肺部。

③反射区位置：

双足背第一跖骨外缘。（图 7-62）

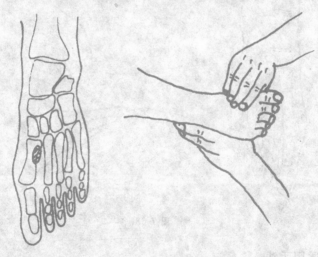

图 7-62

④适用手法：

单食指钩掌法，可用拇指指端，指峰在该反射区按揉 3-5 次。

⑤适应症：

咳嗽，气喘，气管炎，感冒等。

10. 喉

①解剖位置：

喉位于颈前部中间。上方借韧带连于舌骨，下方接气管。

②生理功能：

喉既是呼吸道，又是发音器官。

③反射区位置：

双足背第一，二跖骨间关节处，靠拇指侧。（图7-63）

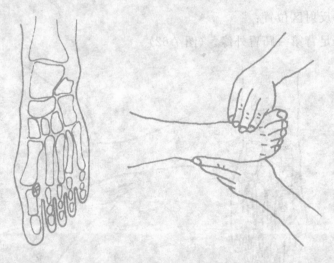

图 7-63

④适用手法：

单食指钩掌法，用拇指指腹在喉反射区定点按压3-5次。

⑤适应症：

喉痛，感冒，声音嘶哑，微弱等。

11. 内耳迷路

①解剖位置：

内耳位于颞骨岩部内，介于鼓室与内耳道之间。由构造复杂的弯曲管道组成。

②生理功能：

内耳迷路有前庭神经，功能是传导平衡感觉冲动。

③反射区位置：

双脚背第四、五趾骨间。（图 7-64）

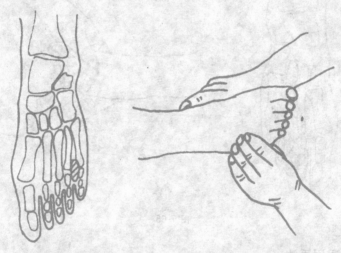

图 7-64

④适用手法：

单食指钩掌法，食指或中指在反射区定点按压 3-5 次。

⑤适应症：

头晕，眼花，晕车，晕船，高血压，低血低，耳鸣，平衡障碍，昏迷等。

12. 胸部及乳房

①解剖位置：

胸部的上界是由胸骨颈脉切迹，锁骨，再从肩锁关节至第七颈椎棘突的连线为界，下界相当于胸廓下口。

②反射区位置：

双脚背相当于第二，三，四跖骨背侧。（图 7-65）

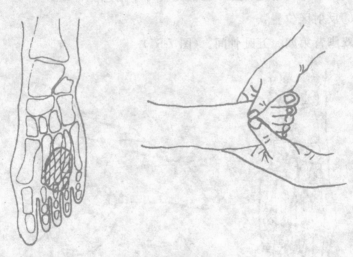

图 7-65

③适用手法：

双拇指推拿法，双手拇指压住反射区由足趾向足跟方向推摩 3-5 次。

④适应症：

胸闷，乳腺炎，乳腺增生，乳腺癌，食道疾患等。

13. 扁桃腺

①解剖位置：

扁桃腺位于口与咽喉之间，由淋巴组织构成，是口腔通向咽喉的门户。

②生理功能：

能产生淋巴细胞和抗体，增强机体免疫机能。

③反射区位置：

双脚拇指第一趾骨背面，伸拇肌腱两侧。（图 7-66）

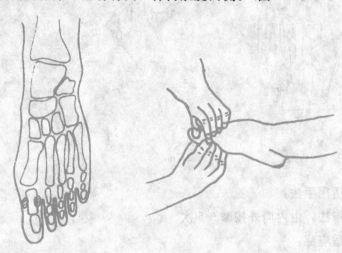

图 7-66

④适用手法：

扣指法，按压 3-5 次。（不可向趾端方向挤压）。

⑤适应症：

感冒，扁桃体发炎，肿胀，化脓，扁桃体肥大等。

14. 下颚

①解剖位置：

位于下牙齿的根部，腭骨与下颌骨连接处。

②反射区位置：

双脚拇趾趾间关节横纹近侧成带状区域。（图7-67）

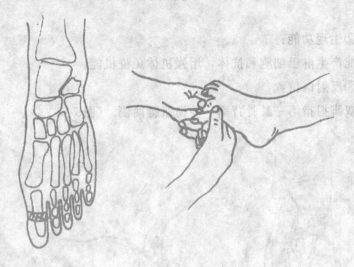

图 7-67

③适用手法：

扣指法，由内向外按摩3-5次。

④适应症：

牙痛，下颚炎症，咽部感染等。

15. 上颚

①解剖位置：

位于上牙齿，腭骨与上颌骨的连接处。

②反射区位置：

位于双脚拇趾趾间关节横纹远方成带状区。（图7-68）

③适用手法：

扣指法，由内向外按摩3-5次。

④适应症：

牙痛，上颚感染，颌关节炎，牙周病，打鼾等。

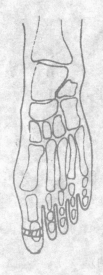
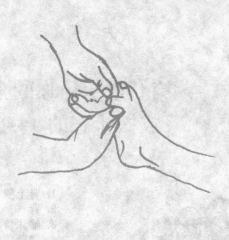

图 7-68

第8章　让你的全身处于放松状态的144种措施

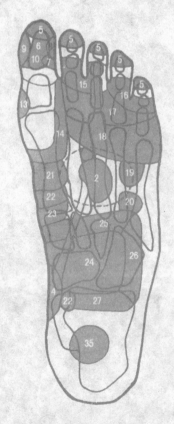

足穴图（左脚）

1. 肾上腺
2. 肾
3. 输尿管
4. 膀胱
5. 额窦（右侧）
6. 垂体
7. 小脑及脑干（右侧）
8. 三叉神经（右侧）
9. 鼻（右侧）
10. 头部（右半部）
11. 颈项（右侧）
13. 甲状旁腺
14. 甲状腺
15. 眼（右侧）
16. 耳（右侧）
17. 斜方肌
18. 肺及支气管
19. 心
20. 脾
21. 胃
22. 胰
23. 十二指肠
24. 小肠
25. 横结肠
26. 降结肠
27. 乙状结肠及直肠
28. 肛门
34. 腹腔神经丛
35. 生殖腺

1. 肾上腺

2. 肾

3. 输尿管

4. 膀胱

5. 额窦（左侧）

6. 垂体

7. 小脑及脑干（左侧）

8. 三叉神经（左侧）

9. 鼻（左侧）

10. 头部（左半部）

11. 颈项（左侧）

13. 甲状旁腺

14. 甲状腺

15. 眼（左侧）

16. 耳（左侧）

17. 斜方肌

18. 肺及支气管

21. 胃

22. **胰**

23. 十二指肠

24. 小肠

25. 横结肠

29. 肝

30. 胆囊

31. 盲肠（及阑尾）

32. 回盲瓣

33. 升结肠

34. 腹腔神经丛

35. 生殖腺

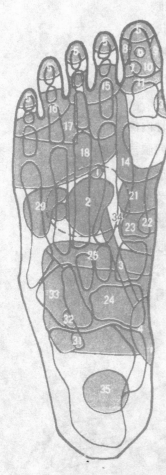

足穴图（右脚）

149

4. 膀胱

9. 鼻

12. 颈椎

13. 甲状旁腺

36. 胸椎

37. 腰椎

38. 骶骨

39. 尾骨内侧

40. 前列腺或子宫

41. 尿道及阴道

42. 髋关节

43. 直肠及肛门

44. 腹股沟

60. 肋骨

62. 下身淋巴腺

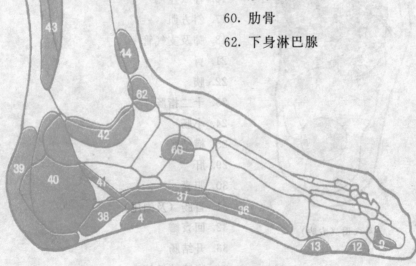

足穴图（脚内侧）

35. 生殖腺

42. 髋关节

46. 尾骨外侧

47. 下腹部

48. 膝

49. 肘

50. 肩

51. 肩胛骨

57. 内耳迷路

58. 胸

59. 膈（模膈膜）

60. 肋骨

61. 上身淋巴腺

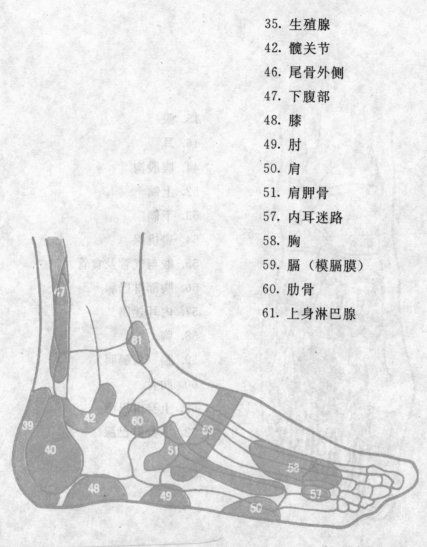

足穴图（脚外侧）

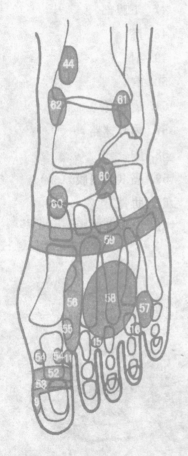

足穴图（脚背）

15. 眼

16. 耳

44. 腹股沟

52. 上颌

53. 下颌

54. 扁桃腺

55. 喉与气管及食管

56. 胸部淋巴腺

57. 内耳迷路

58. 胸

59. 膈（横膈膜）

60. 肋骨

61. 上身淋巴腺

62. 下身淋巴腺

一、缓解神经紧张

心血管神经官能症是以心血管，呼吸和神经系统症状为主要临床表现的综合征。多见于中青年女性，年龄在 20-49 岁之间。

①临床症状：

心悸，有心动过速，有心前区疼痛，胸闷，气短等症。有的呼吸困难，多汗，手足发凉，上腹胀，尿频，腹泻或便秘；失眠，乏力，低热，头昏，头痛，肌肉痛。

②对症配穴：

足穴：太溪，太冲，足三里，丰隆，照海，内庭，独阴。

足反射区：先按主穴腹腔神经丛，肾，输尿管，膀胱，肾上腺；再按甲状旁腺，脑，横膈膜，小肠，胸部淋巴腺。

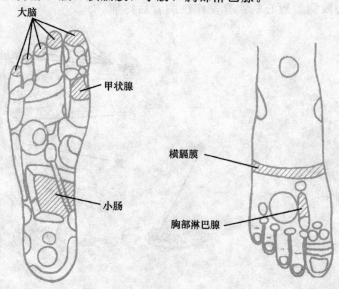

图 8-1

③注意事项：

足部疗法治疗心血管神经官能症疗效佳，但应排除器质性心脏病。保持心情舒畅，要去除诱因。

二、疏导血管

冠心病是指冠状动脉粥样硬化使血管阻塞导致心肌缺血缺氧而引起的心脏病。是动脉粥样硬化导致器官病变的最常见类型。多发生在 40 岁以后，男性多于女性，脑力劳动者较多。

①临床症状：

隐匿型冠心病：一般无症状及体征，有的有胸闷，心悸，心前区刺痛等非特异性症状。

心绞痛型冠心病：有发作性胸骨后疼痛。

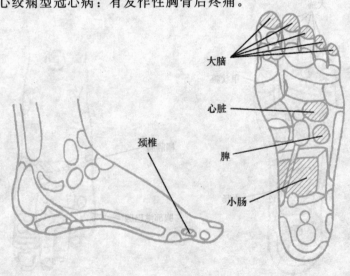

图 8-2

心肌梗塞型冠心病：严重而持久的胸痛。

心力衰竭和心律失常型冠心病：心脏增大，心律失常和心力衰竭。

猝死型冠心病：原发性心脏骤停而猝然死亡。

②对症配穴：

足穴：足三里，三阴交，太冲，太溪，侠溪，涌泉，独阴。

足反射区：先按主穴：腹腔神经丛，肾，输尿管，膀胱，肾上腺，再按心脏，大脑，脾，颈椎，甲状旁腺，小肠。

③注意事项：

足部疗法有活血化瘀，软化血管，疏通心脏的作用。可防治动脉粥样硬化，缓解或解除冠心病心绞痛症状，改善心肌缺血状态。

避免过度劳累及精神紧张。饮食宜低盐，低胆固醇，低动物性脂肪，忌烟酒。

三、抚慰心脏

心绞痛是冠状动脉供血不足，心肌急剧的，暂时的缺血与缺氧所引起的临床综合征。多发于男性，多因劳累，情绪激动，饱食，受寒，阴雨天气，急性循环衰竭等引起。

①临床症状：

劳累性心绞痛：短暂胸痛发作，3-5 分钟内逐渐消失，停止引起诱发症状的活动后或舌下含服硝酸甘油可缓解。

自发性心绞痛：胸痛发作与心肌需氧量的增加无明显关系，持续时间较长，程度较重，且不易为硝酸甘油所缓解。

②对症配穴：

足穴：涌泉，独阴，太冲，太溪。

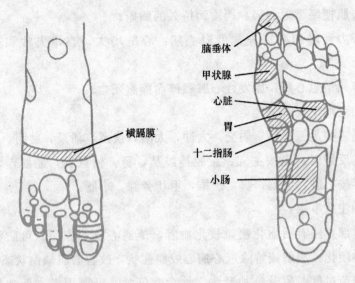

脑垂体

甲状腺

心脏

胃

十二指肠

小肠

横膈膜

图 8-3

先按胸腔神经丛，肾，输尿管，膀胱，肾上腺，再按心脏，横膈膜，胃，十二指肠，小肠，甲状腺，脑垂体。

③注意事项：

若疼痛剧烈，持续不止，甚至出冷汗，休息或舌下含服硝酸甘油片无效者，可能有心肌梗塞的可能，应配合药物急救。在心脏反射区按摩时用力要轻柔，时间要稍短，避免病人过分紧张，增加心肌耗氧量。

四、减轻压力

原发性高血压是最常见的心血管疾病，发病率高，可并发心，脑，肾等器官的损害，是诱发冠心病的主要危险因素。是由于中枢神经系统和内分泌调节功能紊乱所引起的持续性动脉血压升高的慢性疾病。

①临床症状：

起病缓慢，早期多无症状。有的有头晕，头痛，眼花，耳鸣，心慌，失眠，健忘，乏力等，有的伴有心前区不适，甚至心绞痛；后期可见心，脑，肾等器官动脉硬化。

②对症配穴：

足穴：足三里，三阴交，太冲，太溪，丰隆，悬钟，委中，大钟，曲泉，大敦，涌泉，公孙，足临泣，太白，内庭，侠溪，行间，丘墟。

足反射区：先按腹腔神经丛，肾，输尿管，膀胱，肾上腺，再按甲状腺，内耳迷路，大脑，心脏，脑垂体，额窦。

③注意事项：

足部疗法可防治高血压，但对急进型高血压病仅有辅助治疗作

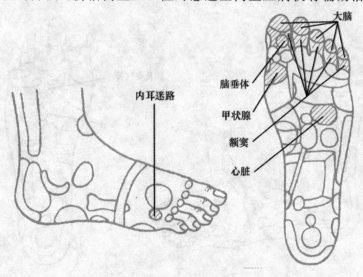

图 8-4

用。保持乐观情绪，避免精神高度紧张，生活要有规律，劳逸适度。戒烟酒，饮食宜清淡，低盐，低脂，低胆固醇。

五、让心脏安静

病毒性心肌炎是各种全身疾病在心肌上的炎症性表现。

①临床症状：

常有某些感染性疾病，风湿活动史，化学毒品，物理因素过敏反应史。

自觉心悸，气促，胸闷，胸痛及原发病症，有的伴有发热，咳嗽，水肿，恶心等症状，重者有心力衰竭，心源性休克，阿一斯综合征及淬死。

②对症配穴：

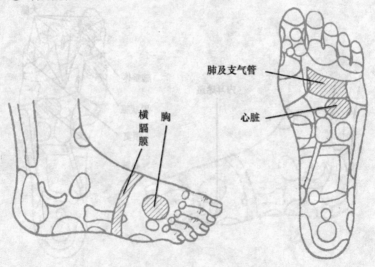

图 8-5

足穴：足三里，三阴交，太冲，太溪，京骨，丰隆，涌泉。

足反射区：先按主穴腹腔神经丛，肾输尿管，膀胱，肾，再按心脏，肺及支气管，胸，横隔膜。

③注意事项：

足部疗法对于本病的各种症状有缓解作用。

六、减轻呼吸障碍

风湿性心脏病是风湿热影响心脏所致。以二尖瓣及文动脉瓣的发病率最高。

①临床症状：

二尖瓣狭窄：代偿期无症状或只有轻微的症状，失代偿期可出现劳累后或阵发性呼吸困难和紫绀，两颧紫红色，咳嗽，咯血，或伴吞咽困难。

二尖瓣关闭不全：轻症可无明显自觉症状，重症可见疲倦乏力。

主动脉瓣狭窄：代偿期无症状；严重者可有疲乏感，眩晕或昏厥，抽搐，心律紊乱，心绞痛，甚至心室颤动或心脏停搏。

主动脉瓣关闭不全：轻度和中度关闭不全的患者，均无显著症状；较重者见心悸，全身动脉的强力搏动感，晚期可见左心衰竭及肺瘀血症状。

②对症配穴：

足穴：足三里，丰隆，阳陵泉，太冲，京骨，三阴交，涌泉。

足反射区：先按主穴腹腔神经丛，肾上腺，输尿管，肾，膀胱，再按心脏，胆囊。

③注意事项：

预防链球菌感染。若处于风湿活动期宜卧床休息，饮食宜清淡。

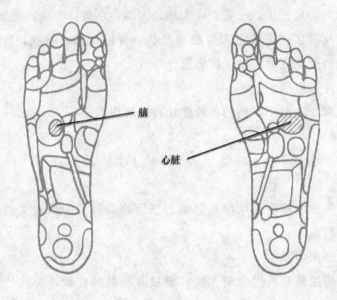

脑

心脏

图 8-6

七、单纯性甲状腺肿的修复

单纯性甲状腺肿是由于缺碘，导致甲状腺肿物质以及甲状腺激素合成障碍引起的代偿性肿大，而不伴有明显的甲状腺功能异常。

①临床症状：

甲状腺肿大，无全身症状，甲状腺常呈轻度或中度弥漫性肿大，质地较软，无压痛。严重者甲状腺肿大引起压迫症状，压迫气管可引起咳嗽，呼吸困难，吞咽不利，声音嘶哑等。

②对症配穴：

足穴：丰隆，足三里，阴陵泉。

足反射区：先按主穴腹腔神经丛，肾，输尿管，膀胱，再按脑垂体。喉气管，甲状旁腺，甲状腺，心脏。

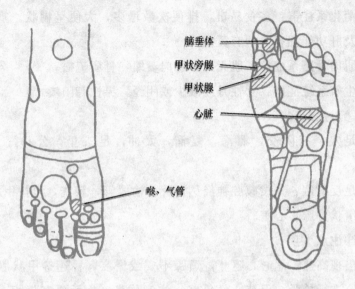

脑垂体
甲状旁腺
甲状腺
心脏
喉、气管

图 8-7

③注意事项：

甲状腺显著肿大者有压迫症状，应考虑手术治疗。

八、甲状腺功能亢进的康复

甲状腺功能亢进是指多种病因导致甲状腺功能增强，分泌甲状腺激素过多所致的临床综合征。女性多见。

①临床症状：

高代谢症群：乏力，怕热，多汗，皮肤温暖潮湿，体重锐减，低热；危象时可有高热，糖耐量异常，胆固醇降低。

精神，神经症群：神经过敏，多言多动，紧张多虑，焦躁易怒，不安失眠，记忆力减退，查手，眼睑或舌有震颤，腱反射亢进。

心血管系症群：心悸，胸闷，气短。

消化系症群：多食易饥，排便次数增多，大便呈糊状。重者肝肿大及肝功能损害，偶有黄疸。

肌肉骨路系症群：肌无力，肌肉萎缩，骨质疏松。

生殖系统症群：女性月经减少或闭经，男性有阳痿。

②对症配穴：

足穴：三阴交，照海，复溜，太冲，足三里，公孙，太溪，安眠。

足反射区：先按腹腔神经丛，肾，输尿管，膀胱，再按甲状腺，眼，甲状旁腺，心脏。

③注意事项：

出现高热，恶心，呕吐，烦躁不安或谵妄，昏迷等甲状腺危象时，应进行抢救。保持心情舒畅，注意休息，生活要有规律，合理膳食，治疗期间，避免食辛辣等刺激食物。

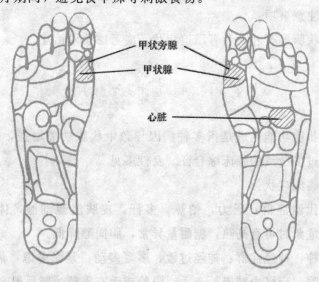

图 8-8

九、增强抗体

腺垂体功能减退症系多种垂体激素缺乏所致的复合症群。也可呈单个激素缺乏的表现。

①临床症状：

产后无乳，乳房萎缩，长期闭经不育，男女性欲均减退甚至消失，毛发常脱落，生殖器萎缩。畏寒，趋向肥胖，皮肤干而粗，较苍白，少汗，少弹性；重者可呈黏液性水肿，食欲不振，精神淡漠，抑郁，甚至躁狂。

极度疲乏，厌食，恶心，呕吐，体重大减，抵抗力低，脉搏细弱，血压偏低。头痛，偏盲，甚至失明。

②对症配穴：

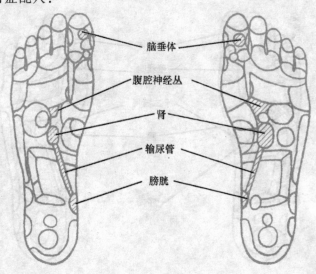

脑垂体

腹腔神经丛

肾

输尿管

膀胱

图 8-9

足穴：足三里，三阴交，照海，复溜，太冲，太溪，阴陵泉，地机。

足反射区：先按主穴腹腔神经丛，肾，输尿管，膀胱，再按脑垂体。

十、促进新陈代谢

糖尿病是一种因遗传和环境因素相互作用而引起的临床综合征。因胰岛素分泌绝对或相对不足，以及靶组织细胞对胰岛素敏感性降低，引起糖，蛋白，脂肪，水和电解质等一系列代谢紊乱。临床以高血糖为共同标志，久病可引起多个系统损害。

①临床症状：

多尿，口渴，多饮，乏力，体重减轻。

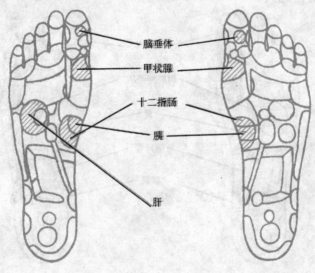

图 8-10

②对症配穴：

足穴：足三里，三阴交，内庭，太溪，太冲，水泉，复溜，行间，然谷，阴陵泉。

足反射区：先按主穴腹腔神经丛，肾，输尿管，膀胱，肾上腺，再按胃，十二指肠，胰，肝，脑垂体，甲状旁腺。

③注意事项：

对重型或胰岛素依赖性患者，须配合胰岛素等进行综合治疗。治疗同时须配合饮食控制，少吃盐。

进行适当有规律的运动，防止肥胖。

十一、清理血液

高脂血症是指由于脂肪代谢或运动异常使血浆一种或多种脂质高于正常。表现为高胆固醇血症，高甘油三酯血症，或两者兼有。有原发性，继发性两类。

①临床症状：

有无引起继发性高脂血症的相关疾病，如糖尿病，甲状腺功能减退症，肾病综合征等，以及引起高脂血症的药物应用史和家族史。黄斑瘤，结节性黄瘤，发疹性黄瘤，幼年角膜环。

②对症配穴：

足穴：足三里，丰隆，上巨虚，复溜，照海，公孙，太溪，太冲。

足反射区：先按主穴腹腔神经丛，肾，输尿管，膀胱，肾，再按甲状腺，肝，胆，胰，横膈膜。

③注意事项：

经常进行足反射区按摩可调节血脂的合成，转运，吸收，消除

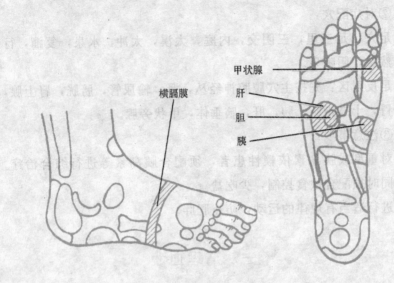

甲状腺
肝
胆
胰
横膈膜

图 8-11

及排泄，使增高血脂恢复正常。坚持锻炼身体，合理科学地安排膳食，防止肥胖，戒烟、酒。

十二、排除多余的脂肪

肥胖症是指体内脂肪堆积过多，体重增加，超过标准体重20%。

①临床症状：

肥胖，体重超过标准的20%；伴气急，关节痛，水肿，肌肉酸痛等症状。女性月经过少，闭经，少动，嗜睡，易饥多食，汗多，怕热。男性可伴阳痿，不育。有高血压，左心室肥厚，扩大，下肢静脉曲张，肺栓塞等心血管疾病，常有脂肪肝，肝功能异常，慢性消化不良，有的伴发胆石症，胆囊炎，糖尿病，冠心病，痛风。

②对症配穴：

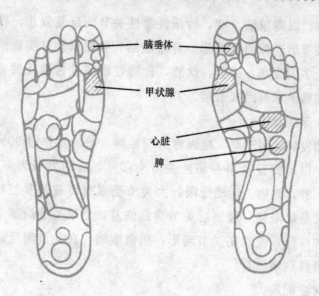

图 8-12

足穴：阴陵泉，三阴交，丰隆，足三里，复溜，太白，内庭，太溪，涌泉，行间，足窍阴，厉兑。

足反射区：先按主穴腹腔神经丛，肾，输尿管，膀胱，再按脑垂体，甲状腺，脾，甲状旁腺，心脏。

③注意事项：

应控制饮食，特别是高脂肪，高糖类，高热量饮食，适当参加运动。注意进食方式和环境，可增加咀嚼次数，减慢进食速度，避免进食时边看电视或边听广播，并在疲乏，厌烦，抑郁期间进食时克服冲动。

十三、痛　风

痛风是长期嘌呤代谢障碍，血尿酸增高引起组织损伤的一种异质性疾病。以高尿酸血症，特征性急性关节炎反复发作，痛风甚至可形成关节活动障碍和畸形。肾尿酸结石和痛风性肾实质病变如临床特点。多因受寒，劳累，饮酒，食物过敏或进含嘌呤的食物，感染，刨伤和手术等因素引起。

①临床症状：

突然发病，每于早，晚因疼痛而惊醒，最初发作时 90％ 侵犯单一关节，以足拇趾及第一跖趾关节为多见，后期发展为多关节炎，关节红，肿，热痛，活动受限，大关节受累时可有关节腔积液，初次发作常呈局限性，缓解后关节功能恢复，受累关节局部皮肤可出现脱屑和瘙痒，慢性期关节畸形，肌肉萎缩，在关节附近软组织中及耳壳可摸到痛风石。

②对症配穴：

足穴：阳陵泉，阴陵泉，丰隆，三阴交，大都，隐白，昆仑，

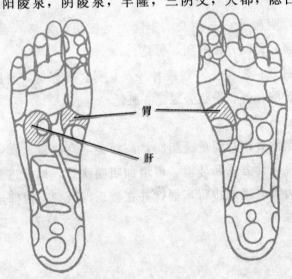

图 8-13

公孙，大钟，照海，申脉，行间，涌泉，厉兑。

足反射区：先按主穴腹腔神经丛，肾，输尿管，膀胱，肾上腺，再按肝，胃。

③注意事项：

急性期应注意卧床休息，抬高患肢，一般应休息至关节痛缓解72小时后方可恢复活动。平时须控制饮食，防止肥胖，避免高嘌呤食物如肉类，家禽，动物内脏，沙丁鱼，豆类等。不宜饮酒，浓茶及咖啡。

十四、消除扁桃体炎

扁桃体炎有急性，慢性之分。急性扁桃体炎为腭扁桃体的急性非特异性炎症，主要致病菌为溶血性链球菌，多发于青少年。慢性扁桃体炎为扁桃体的慢性感染，多因急性扁桃体炎反复发作后形成。

①临床症状：

急性扁桃体炎：起病急，畏寒，高热，头痛，全身酸痛，咽痛，吞咽及咳嗽时加重，可反射至耳部，引起耳痛，伴流涎，口臭，痛剧时可出现吞咽困难。

慢性扁桃体炎：时常感咽痒咽干，异物感，灼热或酸痛，口臭。

②对症配穴：

足穴：内庭，足三里，太溪，照海，商丘，然谷，阳交，涌泉，丰隆。

足反射区：先按主穴腹腔神经丛，肾，输尿管，膀胱，再按扁桃体，喉，气管，额窦，三叉神经。

③注意事项：

注意休息，保持室内空气流通，温暖适中，并注意口腔，咽喉

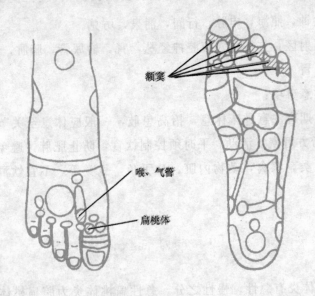

额窦

喉、气管

扁桃体

图 8-14

部卫生。饮食宜清淡，忌食辛辣，肥腻食品。

十五、减少胃肠道功能紊乱

胃肠道功能紊乱是一种胃肠综合征的总称。多由精神因素引起。

①临床症状：

病起缓慢，病程常经年累月，呈持续性或反复发作性，随情绪高低而波动。以胃肠道症状为主，可有癔球症，心理性呕吐，暖气，厌食等。伴有失眠，焦虑，注意力涣散，健忘，神经过敏，头痛等其他功能性症状。

②对症配穴：

足穴：足三里，三阴交，太溪，太冲，公孙，行间，内庭，梁门，阴陵泉，隐白。

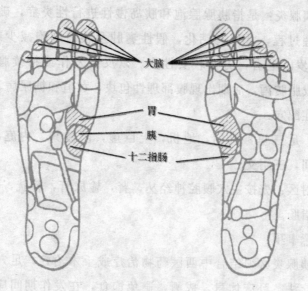

图 8-15

足反射区：先按主穴腹腔神经丛，肾，输尿管，膀胱大脑，再按胃，十二指肠，胰。

③注意事项：

解决患者思想矛盾，调整脏器功能。生活要有规律。饮食以少渣，易消化食物为主。避免刺激性饮食和味道浓烈的调味品。

十六、胰腺炎的预防

急性胰腺炎，是指胰腺及其周围组织被胰腺分泌的消化酶自身消化的化学性炎症。临床以急性腹痛，发热伴有恶心呕吐，血与尿淀粉酶增高为特点。分急性水肿型，急性出血坏死型胰腺炎两种。多发于 20-50 岁青壮年，女性略多于男性。

①临床症状：

慢性胰腺炎：是指胰腺腺泡和胰岛慢性进行性炎症，破坏和纤维化的病理过程，常伴有钙化，假性囊肿及胰岛细胞减少或萎缩。多见于 40 岁以上者，男性较女性多。以反复发作或持续腹痛，消瘦，腹泻或脂肪泻，后期出现腹部理性包块，黄疸和糖尿病。

②对症配穴：

足穴：足三里，梁门，地机，上巨虚，阴陵泉，内庭，太溪，太冲，行间，三阴交。

足反射区：先按主穴腹腔神经丛，肾，输尿管，膀胱，再按胃，胰，十二指肠。

③注意事项：

急性胰腺炎必须结合中西医药物治疗或手术治疗，足穴疗法只作为辅助疗法。卧床休息，戒酒，避免饱食，在发作期间应给予高热量，高蛋白，低脂肪饮食。

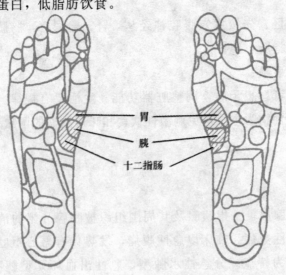

胃
胰
十二指肠

图 8-16

十七、强化排毒组织的能量

　　肝硬化是一种常见的慢性，进行性，弥漫性肝病，是以一种或几种病因长期或反复作用引起。肝硬化的起病隐匿，病程发展缓慢，病情较轻微，可潜伏 3-5 年或 10 年以上，临床上分为肝功能代偿期和失代偿期。

　　①临床症状：

　　代偿期：症状较轻，缺乏特异性，以乏力，食欲减退出现较早，且较突出，伴腹胀不适，恶心，上腹隐痛，轻微腹泻等。

　　失代偿期：消瘦乏力，精神不振，皮肤干枯，面色黧暗无光泽，可有不规则低热，夜盲，水肿，食欲不振，进食后常感上腹饱胀不适；恶心或呕吐，稍进油腻肉食易引起腹泻。半数以上有轻度黄疸，

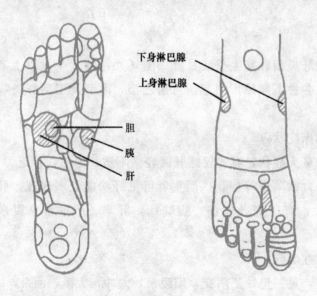

图 8-17

少数有中，重度黄疸；常有鼻，牙龈，胃肠等出血及皮肤紫癜，有不同程度的贫血；女性有月经失调。男性有性欲减退，可出现蜘蛛痣，肝掌。

②对症配穴：

足穴：阴陵泉，阳陵泉，丘墟，血海，足三里，三阴交，太溪，太冲，中封，然谷，复溜。

足反射区：先按主穴腹腔神经丛，肾，输尿管，膀胱，肾上腺，再按肝，胰，胆，上下身淋巴腺，胸部淋巴腺。

③注意事项：

代偿期宜适当减少活动，注意劳逸结合，失代偿期要卧床体息。饮食以高热量，高蛋白质和维生素丰富而易消化的食物为宜。禁饮酒，避免进食粗糙，坚硬食物。禁用损害肝功能的药物。

十八、修复你受伤的肝

慢性肝炎指肝发生炎症及肝细胞坏死持续 6 个月以上者。慢性肝炎可由各种不同原因引起。可由乙型，丙型及丁型肝炎病毒感染引起。

①临床症状：

有的毫无症状，有的仅感肝区轻微不适，隐痛，伴乏力，恶心，厌油腻，食欲减退等症状，严重者可见肝功能衰弱表现。肝脏肿大及脾肿大，有压痛及叩痛，蜘蛛痣，肝掌。严重者见腹水，下肢水肿。

②对症配穴：

足穴：足三里，三阴交，阳陵泉，太冲，太溪，涌泉，中封。

足反射区：先按主穴腹腔神经丛，肾，膀胱，输尿管，再按肝，

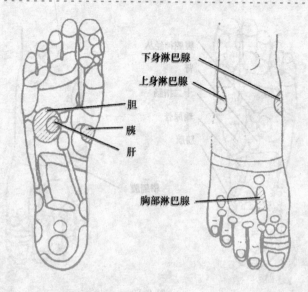

胆
胰
肝

下身淋巴腺
上身淋巴腺

胸部淋巴腺

图 8-18

胆囊，上（下）身淋巴腺，胸部淋巴腺。

③注意事项：

发作期应适当休息。注意劳逸结合与合理营养。禁饮酒。保持心情舒畅。严格掌握输血及血制品应用。

十九、提高肠胃功能的消化能力

胃下垂指胃的位置下移，多因腹壁的紧张度发生变化，胃膈韧带，肝胃韧带及腹肌松弛无力，致不能固托于原来的位置上而引起。多见于身体虚弱者及多产妇女。

①临床症状：

胃脘坠胀不舒，尤以饭后加重，时有脘腹隐隐作痛，或痛连胁肋，纳差，伴嗳气，吞酸，嘈杂，呕吐，大便时便秘，消瘦，乏力，

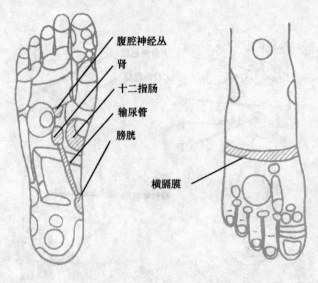

腹腔神经丛
肾
十二指肠
输尿管
膀胱
横膈膜

图 8-19

心悸。

②对症配穴：

足穴：足三里，梁丘，内庭，太冲，隐白，商丘，冲阳，公孙，陷谷，然谷，太溪。

足反射区：先按主穴腹腔神经丛，肾，输尿管，膀胱，再按胃，十二指肠，横膈膜。

③注意事项：

配合腹肌锻炼，做仰卧起坐等运动。生活起居要有规律，少食多餐，忌食生冷，辛辣及不易消化的食物。

二十、畅快排泄

便秘粪便在肠道内通过困难，排出时间延长，排出次数减少，粪便硬结，排出痛苦的一系列症状而言。

①临床症状：

超过 72 小时未大便，

排便时间超过半小时，

有排便不净感。

大便干燥坚硬，伴有腹胀，嗳气，食欲不振，头痛，头晕，失眠，胸闷，心烦易怒，面黄唇干，小便少而黄等症状。

②对症配穴：

足穴：三阴交，照海，内庭，大敦，足三里。

足反射区：先按主穴腹腔神经丛，肾，输尿管，膀胱，再按胃，十二指肠，小肠，直肠，肛门，内尾骨，腰椎；骶椎。

③注意事项：

合理调配饮食和排便习惯，纠正依靠泻药排便的错误做法。多吃含纤维素，维生素的食物。

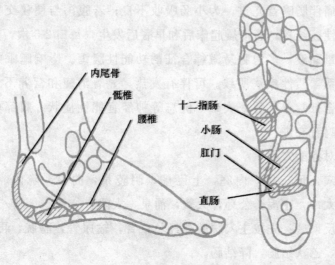

图 8-20

二十一、慢性腹泻的治疗

腹泻是指排便次数明显超过平日习惯的频率，粪质稀薄，含未消化食物或脓血，腹泻常伴有排便急迫感；肛周不适，失禁等症状。慢性腹泻指在两个月以上的腹泻或间歇期在2-4周内的复发性腹泻。

①临床症状：

起病急剧伴有发热，腹泻次数频繁者应考虑是肠道感染性疾病，炎症性肠病，肠易激综合征，吸收不良综合征和结肠憩室炎等引起的，可达数年至数十年之久，常呈间歇性发作。

若便意频繁和里急后重，每次排便量少，有时只排出少量气体和黏液，粪色较深，多呈黏冻状，可混有血液者为直肠或乙状结肠病变；若腹泻无里急后重，粪便稀烂呈液状，色较淡为小肠病变；若粪呈油腻状，多泡沫，含食物残渣，有恶臭，腹部呈间歇性，阵发性绞痛伴肠鸣音亢进，为小肠吸收不良；若腹泻与便秘交替出现为溃疡性肠结核；若清晨起床后和早餐后发生，每日2-5次，粪便有时含大量黏液，多为肠易激综合征的功能性腹泻。影响睡眠的夜间腹泻多系器质性疾病所致。可伴有发热，显著消瘦和营养不良。肠易激综合征常伴头昏，失眠，健忘等神经官能性症状。腹部可有压痛，肠鸣音亢进。

②对症配穴：

足穴：足三里，内庭，上巨虚，阴陵泉，曲泉，隐白，然谷，束骨，太冲，止泻，公孙，大敦，涌泉，太溪。

足反射区：先按主穴腹腔神经丛，肾，输尿管，膀胱，再按胃，升结肠，乙状结肠，降结肠。

③注意事项：

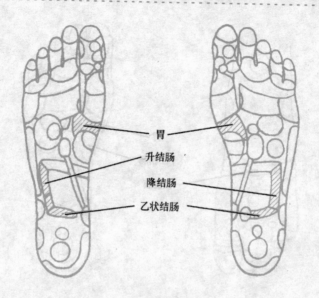

胃
升结肠
降结肠
乙状结肠

图 8-21

饮食以清淡为主，忌食辛辣，油腻之品。

二十二、胃酸过多的预防

指胃分泌功能失调，胃酸过多的一种病变。

①临床症状：

泛酸，酸性嗳气，口干苦，胸脘胀闷，伴便秘，饭后 1-2 小时可发生胃病。

②对症配穴：

足穴：足三里，梁丘，内庭，公孙，隐白。

足反射区：先按主穴腹腔神经丛，肾，膀胱，输尿管，再按十二指肠，胃，横膈膜。

③注意事项：

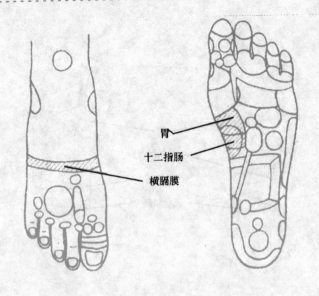

胃

十二指肠

横膈膜

图 8-22

在止酸的同时应积极治疗原发病。饮食有节，忌食白薯，韭菜等辛辣甘甜和生冷食物。

二十三、协调内脏运行

呕吐是内脏与躯体协调运动，将胃内容物经食管排出体外。是一种机体的保护性功能。

①临床症状：

可因功能性障碍或器质性病变引起，多因消化系本身病变引起，亦可因消化系外或全身性疾病造成。有呕吐症状。

②对症配穴：

足穴：足三里，公孙，太白，大都，太冲，涌泉，金门，内庭，足临泣，丘墟，陷谷。

足反射区：先按主穴腹腔神经丛，肾，输尿管，膀胱，再按胃，十二指肠，内耳迷路，横膈膜。

③注意事项：

对颅脑疾病，胃癌等肿瘤所致呕吐者，应及时采取专科救治。呕吐严重者，应积极补液。可用生姜擦足底止呕。

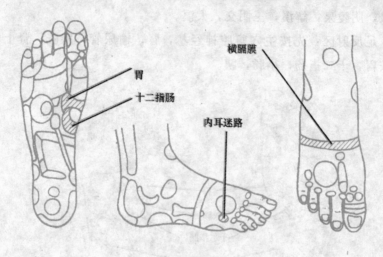

图 8-23

二十四、给胃一片清凉

胃炎是指任何病因引起的胃黏膜炎症，可分为急性胃炎与慢性胃炎两类。

①临床症状：

急性胃炎：多无明显症状，仅少数有消化不良的表现，但常为原发病所掩盖。胃部出血常见，一般为少量，间歇性，可自止，亦有大出血而引起呕血和黑便。持续少量渗血可致贫血。查上腹部压痛。

慢性胃炎：病程迁延，多无明显症状，部分有消化不良症状，如上腹饱胀不适，餐后无规律性上腹隐痛，嗳气，泛酸，呕吐等。

②对症配穴：

足穴：足三里，梁丘，内庭，公孙，太冲，涌泉，里内庭，阳陵泉，阴陵泉，解溪，三阴交，太溪。

足反射区：先按主穴腹腔神经丛，肾，输尿管，膀胱，肾上腺再按胃，十二指肠，小肠，胰。

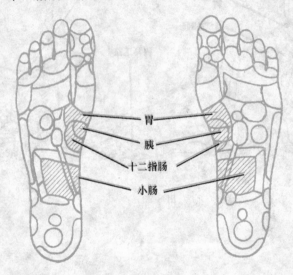

胃
胰
十二指肠
小肠

图 8-24

③注意事项：

饮食要有规律，少食多餐，忌食刺激性食物及烟酒。保持心情舒畅，合理安排工作和休息，避免精神过度紧张和过度疲劳。不用或慎用对胃黏膜有刺激性的药物，如须服用，可在饭间或饭后服用。

二十五、给你一个健康的乳房

乳腺癌是女性乳房常见的恶性肿瘤。多发于 40 岁以上的妇女。

①临床症状:

早期无明显症状。乳房内肿块为单发,质硬,边界不清且固定,肿块与皮肤粘连,皮肤水肿并内凹,似"橘皮"样改变;乳房变形,乳头内陷,乳头有溢血性或浆液性分泌物。

②对症配穴:

足穴:足三里,阳陵泉,地机,三阴交,太溪,太冲,足临泣,涌泉。

足反射区:先按主穴肾,输尿管,肾上腺,膀胱,再按脑垂体,甲状腺,甲状旁腺,胸部淋巴腺,扁桃腺,

③注意事项:

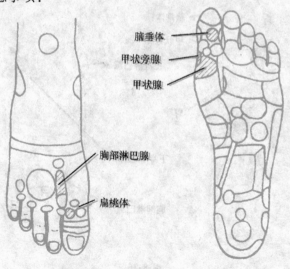

图 8-25

足部疗法对于乳腺癌的治疗可作为辅助疗法，可缓解乳腺癌的一些临床症状。

二十六、预防胃的病变

胃癌是最常见的恶性肿瘤之一，多发于中年以上。

①临床症状：

自觉上腹痛，饱胀不适，消瘦，食欲减退，呕吐，呕血或黑便。

②对症配穴：

足穴：足三里，太溪，太冲，行间，上巨虚，下巨虚，阳陵泉，公孙，内庭，隐白，厉兑。

足反射区：先按主穴腹腔神经丛，肾，输尿管，膀胱，肾上腺，再按胃，脑垂体，甲状旁腺，上下身淋巴腺，胸部淋巴腺。

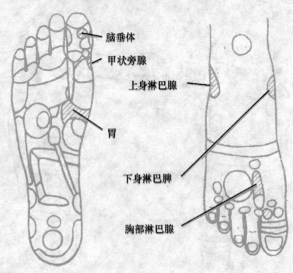

图 8-26

二十七、保护你的供氧系统

肺癌是肺部最常见的原发性恶性肿瘤，多发于支气管。

①临床症状：

痰中持续带血，胸痛明显；顽固性发热，经抗菌治疗无效。晚期可出现气促，哮喘，声嘶，吞咽困难，上眼睑下垂等症状。

②对症配穴：

足穴：足三里，三阴交，丰隆，太溪，太冲，涌泉。

足反射区：先按主穴腹腔神经丛，肾，膀胱，再按肺及支气管，脑垂体，肾上腺，甲状腺，甲状旁腺。

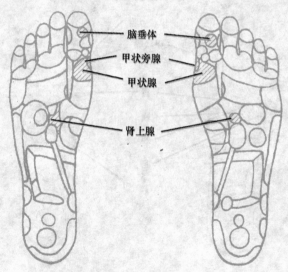

图 8-27

二十八、给肝脏减压

原发性肝癌多见于40-50岁男性，与某些肝病，寄生虫，化学致癌物质及饮酒，遗传等因素有关。

①临床症状：

肝区隐痛，呈持续性，进行性消瘦，乏力，食欲不振，恶心，呕吐，腹胀。黄疸，腹水，下肢凹陷性水肿，肝脏肿大，质坚硬，有压痛。

②对症配穴：

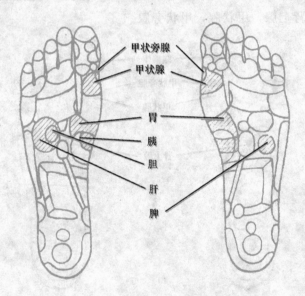

图 8-28

足穴：足三里，三阴交，太溪，太冲，行间，内庭，大敦，涌泉。

足反射区：先按主穴腹腔神经丛，肾，输尿管，膀胱，再按肝，胆，胰，脾，胃，甲状旁腺。

③注意事项：

配合中西药物积极治疗。

二十九、让头休息

神经性头痛是指长期焦虑，紧张或疲劳等因素所导致的颈项部，头部肌肉的持久收缩和相应动脉的扩张而产生的头痛。引起头痛的病因很多，涉及到内，外，妇，儿，五官等各科。

①临床症状：

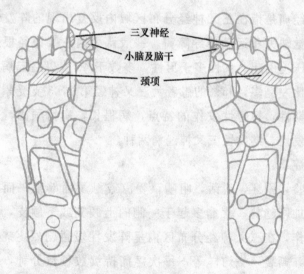

三叉神经
小脑及脑干
颈项

图 8-29

患者常自觉头部沉重，发胀或有压迫感或压迫性钝痛。头痛位于枕部或枕下部，甚至波及整个头部。可为单侧，亦可为双侧。其持续时间不等，伴有乏力，情绪低落，食欲减退等症状。

②对症配穴：

足穴：足三里，三阴交，行间，太冲，太溪，血海，阳陵泉，悬钟。

足反射区：先按主穴腹腔神经丛，肾，膀胱，输尿管，再按小脑，脑干，三叉神经，颈项。

③注意事项：

对于高血压引起的头痛，慎用强刺激。

三十、抑制神经疼痛

三叉神经痛是指在三叉神经分布区域内反复出现的阵发性剧烈疼痛，无感觉缺失和运动传导障碍。一般认为因三叉神经根受到机械性牵拉后压迫引起。女性多于男性，多数于40岁以后起病，右侧三叉神经痛比左侧多，95％的患者为三叉神经第2，3支受累，具有突然性，周期性，短暂性发作的特点，病程长，病情顽固，常反复发作。有原发性，继发性三叉神经痛两种。

①临床症状：

常因洗脸，刷牙，说话，咀嚼，受凉或触及面部某一而引起疼痛，有逐日加剧趋势。疼痛多起于一侧的上颌支或下颌支，眼支少见。突然发作，在三叉神经分布区内呈阵发性短暂剧烈疼痛，痛如刀割，闪电，撕裂，烧灼样等，每次疼痛持续数秒数分钟，可多次频繁发作，问歇期无疼痛，伴面肌抽搐，结膜充血，流泪，流涎等，多数渐进性加剧。

②对症配穴：

足穴：足三里，三阴交，太溪，太冲，隐白，行间，涌泉，解溪，内庭，足临泣，昆仑，八风。

足反射区：先按主穴腹腔神经丛，肾，输尿管，膀胱，再按三叉神经，颈椎，甲状腺。

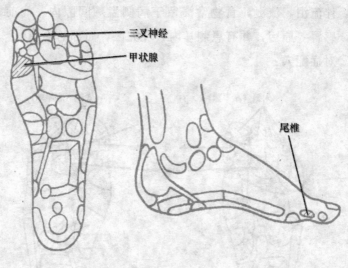

图 8-30

③注意事项：

对继发性三叉神经痛，应查明原因再进行治疗。

三十一、周围性面神经麻痹的救治

周围性面神经麻痹是指因局部营养神经的血管受风寒而痉挛。面神经管内组织急性水肿，面神经受压，或面神经本身的炎症所引起的周围性面神经损害。慢性中耳炎，带状疱疹，乳突炎都可引起本病。本病发于任何年龄，左、右侧发病几率相近，常为单侧面神经受累。轻者，一般在14-20天后开始恢复，多数患者在1-2个月后可完全恢复。其病程和愈后决定于面神经是生理性阻滞还是神经变性。若神经完全变性须在 6 个月后才可开始恢复。

①临床症状：

起病突然，常于清晨洗脸，嗽口时发现口眼歪斜，面部活动不灵活，伴流泪，流涎，食物常滞留于病侧齿颊间隙内，病前常有受风寒，感冒等原因，并有患侧耳内，乳突区，面部的疼痛。

②对症配穴：

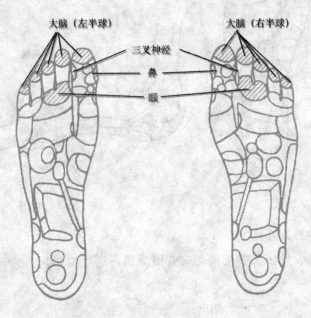

图 8-31

足穴：足三里，三阴交，太冲，内庭，冲阳，厉兑，陷谷，行间，足窍阴，申脉。

足反射区：先按主穴腹腔神经丛，肾，输尿管，膀胱，再按大脑，眼，鼻，三叉神经。

③注意事项：

每日早晚，将双手掌搓热，自行反复按摩面部，促使血液循行，有利于恢复。注意保暖，避风寒，出汗时勿马上出门，以免受风。

三十二、防治面肌痉挛

面肌痉挛是指阵发性无规律的一侧面部肌肉抽搐，女性多见，多发于中老年人。

①临床症状：

病初，眼轮匝肌间歇性轻微抽搐，逐渐扩展至半侧面肌，尤其牵引口角提肌的抽搐，呈阵发性不规则的痉挛。痉挛多在精神紧张，疲倦，自主运动时加剧，入睡和平静时抽搐停止，面部无红肿疼痛。

②对症配穴：

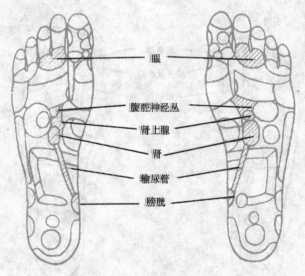

眼
腹腔神经丛
肾上腺
肾
输尿管
膀胱

图 8-32

足穴：足三里，三阴交，太溪，太冲，内庭，隐白，行间，丰降，涌泉。

足反射区：腹腔神经丛，肾，输尿管，膀胱，肾上腺。

③注意事项：

注意调情绪，避免精神紧张。

三十三、让大脑活动功能正常化

神经官能症是一组大脑功能活动暂时性失调疾病的总称。

①临床症状：

神经衰弱：患者兴奋性增高，感情易于激怒或伤感，伴有头痛，头昏，全身酸痛，耳鸣，目眩，注意力不集中，健忘，失眠，精神不振或心慌，多汗，乏力，食欲不振，手足发凉，腹胀，腹泻，便

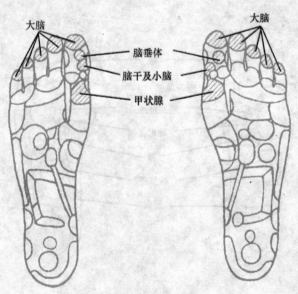

图 8-33

秘，恶心呕吐，遗精，阳痿，月经紊乱等症状。

焦虑性神经官能症：焦虑发作，植物神经功能失调及运动性不安。

强迫性神经官能症：表现为思维上的强迫观念，强迫意向及强迫动作。

抑郁性神经官能症：情感抑郁，悲伤，绝望，孤独。

②对症配穴：

足穴：三阴交，太冲，丰隆，安眠，蠡沟，足三里，太溪，公孙，至阴，申脉。

足反射区：先按主穴腹腔神经丛，肾，输尿管，膀胱，再按颈项，脊椎，脑垂体，甲状腺，大脑，小脑，脑干。

③注意事项：

生活要有规律，做到劳逸结合，平时要锻炼增强体质。

三十四、抑制坐骨神经痛

坐骨神经痛是一种临床综合征，表现为沿坐骨神经通路及其分布区域的放射性疼痛。可由多种病因引起，分原发性，继发性两种。多发于男性，青壮年居多，起病方式有急性，亚急性及慢性之分。原发性坐骨神经痛又称坐骨神经炎，其病程短，预后良好。继发性坐骨神经痛又称根性坐骨神经痛，为该神经通路的邻近组织病变引起，而某些盆腔病变，糖尿病性神经炎等引起的称干性坐骨神经痛。

①临床症状：

坐骨神经炎：起病急骤，开始臀部，髋部疼痛，并不剧烈，但很快出现沿着坐骨神经通路的剧烈疼痛。患者睡时常屈膝向健侧卧，起立时常从健侧着力，以手支腰，站立时常弯曲病灶而将全身重心移至健侧。

根性坐骨神经痛：起病较缓慢，患者多有较长时间的下背部疼痛或腰酸。咳嗽，喷嚏，弯腰常引起疼痛加剧。

千性坐骨神经痛：起病缓慢，有肌肉萎缩，感觉消失。

②对症配穴：

足穴：委中，阴陵泉，昆仑，飞扬，悬钟，承山，丘墟，三阴交，太冲，涌泉，合阳，承筋，委阳。

足反射区：先按主穴腹腔神经丛，肾，输尿管，膀胱，再按坐骨神经，髋关节。

③注意事项：

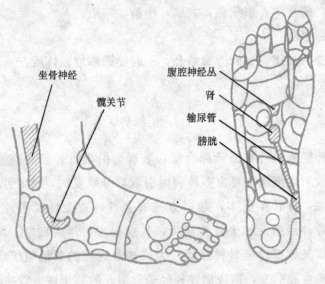

坐骨神经　髋关节　腹腔神经丛　肾　输尿管　膀胱

图 8-34

注意保暖，避风寒。急性期要卧床休息，卧硬板床，配合患肢的按摩效更佳。

194

三十五、预防脑血管意外

　　脑血管意外是指脑血管的急性血液循环障碍而导致偏瘫，失语，昏迷等急性或亚急性脑损害症状的疾病。按疾病的性质，可分为出血性和缺血性两大类。高血压和动脉硬化是发生本病的常见病因。

　　①临床症状：

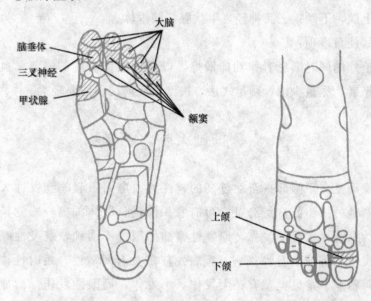

图 8-35

　　脑血栓形成：发病之前 1-2 日常感头痛，头晕，肢体麻木。发病较慢，发病多在熟睡之时，早晨起床时发现偏瘫，口角歪斜，失语，意识障碍较轻，脉搏。呼吸，血压无明显变化。

　　脑出血：发病前数天或数小时有头痛，肢体麻木，精神改变，嗜睡等前驱症状。多在白天活动的情况下发生，发病急骤，剧烈头痛；头晕，恶心呕吐，意识丧失，呼吸深而有鼾声，脉搏慢而充实，血压升高，偏瘫，失语。可因肢体或脑力过度紧张，或情绪激动，过量饮酒而诱发。

②对症配穴：

足穴：足三里，三阴交，阳陵泉，丰隆，血海，太溪，太冲，昆仑，内庭，照海，涌泉，申脉。

足反射区：先按主穴腹腔神经丛，肾，输尿管，膀胱，再按额窦，上颌，下颌，三叉神经，甲状腺，脑垂体。

③注意事项：

治疗的同时嘱患者作功能锻炼，以促进肢体功能的恢复。血压过高患者，尽量少用针刺足穴法，按摩足反射区手法要轻柔。

三十六、抑制大脑功能紊乱

癫痫是由于脑部兴奋性过高的神经元放电而引起的阵发性大脑功能紊乱的一组临床综合征，可有意识障碍，肢体抽搐，感觉异常或行为紊乱，常反复发作。原发性癫痫原因尚不明确，继发性癫痫则继发于脑部或全身性疾病。癫痫发作多具有间歇性，短时性，刻板性等特点。常见类型有：大发作，小发作，局限性发作，精神运动性发作。

①临床症状：

大发作：多有先兆症状，如上腹部不适，胸腹气上升，眩晕，肢麻，疼痛，手指抽动等。突感恐惧，历时数秒钟，继之发出尖叫，意识丧失而跌倒于地。肢体强直，两眼上翻或偏向一侧，瞳孔散大，光反应消失。经 30 秒左右，四肢及面部肌肉强烈抽动，口吐白沫，1-2 分钟之后渐渐进入深睡状态，可出现尿失禁。2 小时后，意识清醒，自觉头昏，乏力，对发作症状无记忆。若癫痫大发作，短期内呈持续性，病人一直处于昏迷状态，为癫痫持续状态。

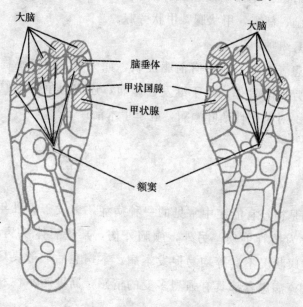

图 8-36

小发作：多见于儿童，有短暂的意识丧失，面色苍白，直视呆立不动，动作中断，呼之不应，手持之物落地，几秒钟后继续原来的活动。对发作无记忆，发作频繁。

局限性发作：多为继发性癫痫。表现为局限性抽搐，暂时性失语，头，眼向一侧旋转，头痛流涎，呕吐，心慌，腹痛，气喘，尿失禁，无明显意识障碍。

精神运动性发作：多见于成年人。出现发作性精神活动障碍，伴恐惧，忧郁，强迫等情感变化。发作后意识恢复，对发作无记忆。

②对症配穴：

足穴：阳陵泉，三阴交，太冲，丰隆，侠溪，足三里，行间，

足道——神奇的阿尔法波放松疗法

定痫，涌泉，照海，公孙，太溪，大敦，厉兑，申脉，至阴。

足反射区：先按主穴腹腔神经丛，肾，输尿管，膀胱，再按脑垂体，大脑，额窦，甲状腺，甲状旁腺。

③注意事项：

有些患者在复发前常有前驱症状，如失眠，情绪不稳定，应及时给予治疗以防发作。对于继发性癫痫，还应力争诊治原发病，以消除病因。对单侧性颞叶癫痫，应予手术治疗。

三十七、修复精神创伤

癔病是神经官能症中常见的一种病症。多发于青壮年女性。发病诱因常为精神创伤。另外，颅脑外伤，某些躯体疾病，月经期，疲劳，健康状况不良等均易促发本病。本病愈后一般良好，但易反复发作。癔病患者都具有强烈多变的情感，高度暗示性和自我显示性，特别富于幻想。

①临床症状：

精神症状：在兴奋时意识朦胧，哭笑无常，大吵大闹，手舞足蹈，蹬足捶胸；抑郁时常昏睡，双目紧闭，四肢发硬，呼之不应，推之不动，但眼球来回转动。发作后记忆清楚。

运动症状：患者突然倒地，肢体阵阵不规则震颤，痉挛，四肢僵直，语言抑制或失音，有眨眼，摇头等奇异动作，有时表现为癔病性肢体瘫痪。发作时小便失禁，口吐白沫，睡眠时很少发作。

感觉症状：身体某一部位有感觉过敏，减退或完全消失。突发失明，耳聋，失音，心慌，气喘，呃逆，喉中有异物梗阻。

植物神经症状：可有心动过速，多汗，呼吸困难，呕吐，呃逆等症状。

198

②对症配穴：

足穴：阳陵泉，丰隆，太冲，照海，涌泉，足窍阴，太溪，侠溪，定痫，内庭，安眠。

足反射区：先按主穴腹腔神经丛，肾；辖尿管，膀胱，肾上腺，再按大脑，额窦，脑干及小脑。

③注意事项：

治疗环境要安静，平素保持心情舒畅，适当参加体育锻炼。

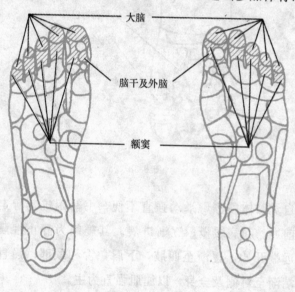

图 8-37

三十八、拒绝老年病的过早来临

帕金森病是一种发生于中年以上的神经系统变性疾病，以运动减少，肌肉强直和震颤为主要症状。起病缓慢，多见于男性，好发于50-60岁。本病是因脑内黑质及黑质纹状体通路变性，多巴胺含量显著减少所致。

①临床症状：

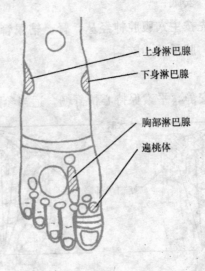

上身淋巴腺

下身淋巴腺

胸部淋巴腺

遍桃体

图 8-38

患者自觉肢体震颤，举动强直不便，书写困难，行走时步距缩短，躯体前冲。起病缓慢，逐渐进展。其震颤为静止性震颤，多自一侧上肢远端开始，逐渐至四肢，下唇，舌和颈部；强直多自一侧上肢的远端渐至对侧及全身，以屈肌强直为主。

②对症配穴：

足穴：足三里，三阴交，阳陵泉，丰隆，公孙，太冲，悬钟，足临泣，昆仑。

足反射区：先按腹腔神经丛，肾，输尿管，膀胱，肾上腺，扁桃体，甲状旁腺，胸部淋巴腺，上身淋巴腺，下身淋巴腺。

③注意事项：

须坚持治疗，可缓解其震颤强直症状。

三十九、提高听觉能力

梅尼埃综合征是以发作性眩晕，恶心，呕吐，耳鸣及逐渐听力减退为主症。本病的发作间歇期长短不一，其发作常随耳聋的进展而减少，完全耳聋时迷路功能消失，眩晕发作亦停止。

①临床症状：

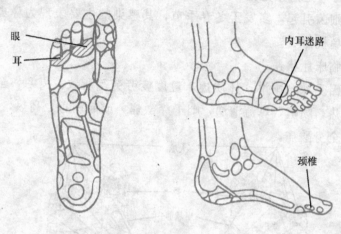

眼
耳

内耳迷路

颈椎

图 8-39

突发的剧烈的眩晕，自觉四周景物或自身旋转，发时多不敢动头部，闭目卧床。眩晕呈间歇性，不规则发作，症状缓解消失常需1-2 天或较长时间，发时伴恶心，呕吐，面色苍白，冷汗，眼球震颤和平衡障碍。患者在发作前即有耳鸣及听力减退，每次眩晕发作均使听力进一步减退，发作过后可有部分恢复。

②对症配穴：

足穴：足三里，三阴交，太溪，太冲，行间，足临泣，申脉。

足反射区：先按主穴腹腔神经丛，肾，输尿管，膀胱，肾上腺，

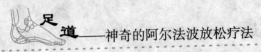
再按耳，眼，颈椎，内耳迷路。

③注意事项：

眩晕发作时少进汤水，宜低盐饮食。

四十、预防上呼吸道感染

上呼吸道感染是指鼻腔，咽或喉部炎症的概称，多由病毒所致，少数由细菌引起，多发于冬春季节，其感染的主要表现为鼻炎，咽喉炎，扁桃体炎。

①临床症状：

多因受寒，雨淋，体质虚，过度疲劳劳等所致。畏寒，全身不适，低热，喷嚏，鼻流清涕，咽干痒微痛，或起病急，高热，头痛，咽痛，全身酸痛。

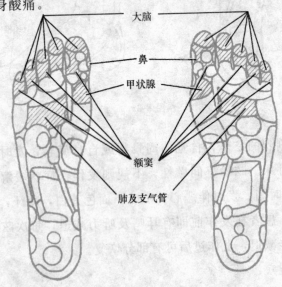

图 8-40

②对症配穴：

足穴：京骨，照海，束骨，里内庭。

足反射区：先按主穴腹腔神经丛，肾，输尿管，膀胱，肾上腺，再按大脑，鼻，肺，支气管，额窦，甲状旁腺。

③注意事项：

如在流感季节每日按摩足穴，足反射区可以有效预防本病。针灸足三里穴可增强机体免疫。在气温多变化季节注意保暖，避食受凉和过度劳累。

四十一、急性支气管炎的救治

急性支气管炎是由感染，物理，化学刺激或过敏引起的支气管黏膜的急性炎症。多发于寒冷季节或气候突变时节，也可由急性上呼吸道感染而致。

慢性支气管炎是指气管，支气管黏膜及其周围组织的慢性非特异性炎症。分单纯型，喘息型两种。可并发肺气肿，肺心病等疾病。

①临床症状：

急性支气管炎：起病较急，常因急性上呼吸道感染引起，咳嗽，咳痰，气促，发热等。两肺呼吸音粗糙，可有散在干，湿性锣音。锣音部位常不固定，咳痰后可减少或消失。

慢性支气管炎：多缓慢起病，病程较长，反复发作而加重。有咳嗽，咳痰，喘息等症状，其咯痰多为白色黏液性或稀薄泡沫状。早期无任何异常体征，急性发作期可有散在的干，湿锣音，多在背部及肺底部，咳嗽后可减少或消失；喘息型可听到哮鸣音及呼气延长，而且不易完全消失。

②对症配穴：

足穴：足三里，阳陵泉，丰隆，三阴交，复溜，太冲，太溪，照海，厉兑，内庭。

足反射区：先按主穴腹腔神经丛，肾，输尿管，膀胱，肾上腺，再按甲状旁腺，肺及气管，胸部淋巴腺，上身淋巴腺。

③注意事项：

急性支气管炎治疗要彻底，以防转为慢性支气管炎；对于慢性支气管炎要坚持治。注意保暖，预防感冒，以减少本病的发生。嘱戒烟，忌食生冷辛辣腥发之品。

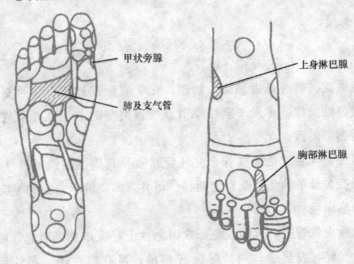

图 8-41

四十二、缓解支气管哮喘

支气管哮喘是一种气道变应性炎症和气道高反应性为特征的疾病。若长期反复发作可导致气道增厚或狭窄，成为阻塞性肺气肿。

分为外源性哮喘和内源性哮喘。外源性哮喘常在童年，青少年时发病，多有家族过敏史；内源性哮喘多无已知过敏源，在成年时发病，可由体内感染灶引起。

①临床症状：

反复发作性伴有哮鸣音的呼气性呼吸困难，胸闷或咳嗽，严重患者呈腹式呼吸，出现奇脉。缓解期无任何症状或异常体征，发作时伴有哮鸣音的呼气性呼吸困难。

②对症配穴：

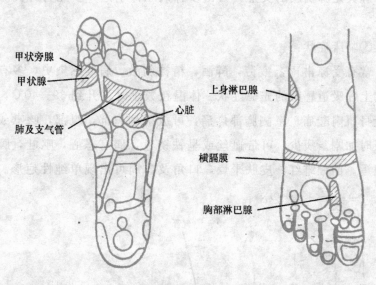

图 8-42

足穴：足三里，丰隆，定喘，太溪，大钟，京骨，昆仑，金门，公孙，涌泉，足窍阴，至阴。

足反射区：先按主穴腹腔神经丛，肾，输尿管，膀胱，肾上腺，再按甲状腺，甲状旁腺，肺，支气管，心脏，横膈膜，上身淋巴腺，胸部淋巴腺。

③注意事项：

遇哮喘持续状态，治疗效果不理想时，宜速采取综合性治疗措施，缺氧者应给氧。避开过敏源，忌食辛辣腥发等刺激之品，及有过敏作用的食物，禁烟酒。

<h2 style="text-align:center">四十三、预防肺的质变</h2>

肺炎是肺实质的炎症，可由多种病原体引起，多见为肺炎球菌肺炎。

①临床症状：

常有受凉淋雨，疲劳，醉酒，精神刺激，病毒感染史，多有数日上呼吸道感染的先驱症状。体温在数小时可升到 39—40℃，伴有全身肌肉酸痛。患侧胸部疼痛，可放射到肩部，腹部，咳嗽或深呼吸时加剧。痰少，可带血丝或呈铁锈色，偶有恶心，呕吐，腹痛或腹泻。面颊绯红，皮肤干燥，口角及鼻周可出现单纯性疱疹。早

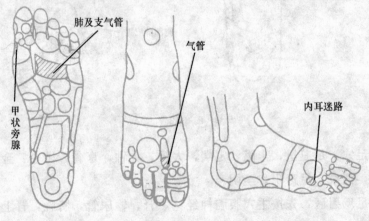

图 8-43

期仅有胸廓呼吸运动幅度减少，呼吸音减低和胸膜有摩擦音。

②对症配穴：

足穴：足三里，复溜，丰隆，三阴交，太溪，太冲。

足反射区：先按主穴腹腔神经丛，肾，输尿管，膀胱，肾上腺，再按肺，支气管，甲状旁腺，内耳迷路，气管。

③注意事项：

若合并中毒性，休克性肺炎要及时抢救治疗。及时治疗上呼吸道感染。

四十四、阻塞性肺气肿

阻塞性肺气肿是终末细支气管远端的气道弹性减退，过度膨胀，充气和肺容积增大，或同时伴有气道壁破坏的症状。可并发自发性气胸，肺部急性感染，慢性肺源性心脏病等。

①临床症状：

慢性支气管炎并发肺气肿时，在原有咳嗽，咳痰等症状的基础上出现逐渐加重的呼吸困难，胸闷，气急等，严重时出现紫绀，头痛，嗜睡，神志恍惚等症状。

早期体征不明显，出现心脏搏动及其心音较心尖部位明显增强时，提示并发早期肺心病。

②对症配穴：

足穴：足三里，阴陵泉，三阴交，丰隆，太溪，复溜，内庭。

足反射区：先按主穴腹腔神经丛，肾，输尿管，膀胱，再按肺及支气管，甲状腺，甲状旁腺，喉。

③注意事项：

足部疗法可缓解气喘气憋等症状，但对危重病人须中西医结合

治疗，缺氧明显时给氧。注意气候变化，保暖；忌食生冷辛辣腥发
之品。

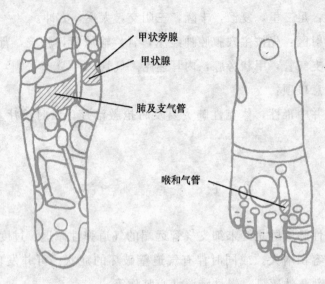

甲状旁腺
甲状腺
肺及支气管
喉和气管

图 8-44

四十五、肺源性心脏病

肺源性心脏病是指由于肺组织或肺动脉血管病变所致肺动脉高
压引起的心脏病。可分为急性和慢性两类。慢性肺源性心脏病是由
于肺，胸廓或肺动脉血管慢性病变所致的肺循环阻力增加，肺动脉
高压，心肥厚，扩大，甚至发生右心衰竭的心脏病。可并发肺性脑
病，心律失常，休克，消化道出血等。发作以冬，春季节多见。急
性呼吸道感染常为急性发作的诱因，常导致肺，心功能衰竭，病死
率较高。按其功能分为代偿期和失代偿期。

①临床症状：

　　肺，心功能代偿期：表现为慢性咳嗽，咳痰，气急，活动后可感心慌，呼吸困难，乏力和劳动耐力下降。

　　肺，心功能失代偿期：以呼吸衰竭为主，有或无心力衰竭。

　　②对症配穴：

　　足穴：足三里，丰隆，内庭，太溪，独阴，京骨，中冲，涌泉。

　　足反射区：先按主穴腹腔神经丛，肾，输尿管，膀胱，肾上腺，再按肺及支气管，甲状腺，甲状旁腺，喉及气管。

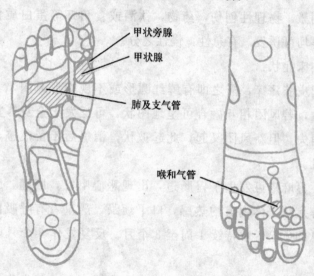

图 8-45

　　③注意事项：

　　足部疗法对于本病可作为辅助疗法，对危重病人要及时抢救进行综合治疗。注意增强体质，避免受寒，防止感冒。

四十六、抑制皮肤病

荨麻疹是一种常见的皮肤病。是由于皮肤和黏膜微血管壁通透性增加和微血管扩张，血清渗出而形成局部水肿，呈鲜红色或苍白色风团，发生和消退都较快，风团处有瘙痒和灼热感。本病与遗传因素和个体特异过敏体质有一定关系，在寒冷刺激下最易发作，另外精神刺激，物理性创伤，药物，饮酒或食鱼虾等蛋白质食物，昆虫叮咬等均可诱发。有急性，慢性之分。

①临床症状：

初起皮肤瘙痒，搔之即有鲜红圆形或不规则形风团，多数为孤立散在性，若风团相互融合可呈地图状，可泛发于全身。数小时内风团会消失，但新风团又起，此起彼伏。消退后不留痕迹，一日可发生数批。

急性荨麻疹可发生于胃肠道，出现恶心呕吐，腹痛，腹泻，食欲减退等症状，体内有灼热感，口干烦躁，严重者有呼吸困难，甚至有窒息的危险。常持续1周至3个月。反复发作3个月以上者为慢性。

慢性荨麻疹全身症状较轻，风团时多时少，反复发作。病程可长达数月甚至十余年之久，多顽固难治。

②对症配穴：

足穴：足三里，三阴交，血海，委中，复溜，内庭，照海，上巨虚，悬钟，金门，涌泉，隐白，厉兑。

足反射区：先按主穴腹腔神经丛，膀胱，输尿管，再按脑垂体，甲状腺，甲状旁腺，脾。

③注意事项：

对于慢性荨麻疹应寻找病因再予治疗。有龋齿，扁桃体炎等应同时治疗。注意饮食要清淡，忌食辛辣刺激，腥发之品。患者应注意药物性，植物性及动物性因素的诱发，并尽量加以避免。

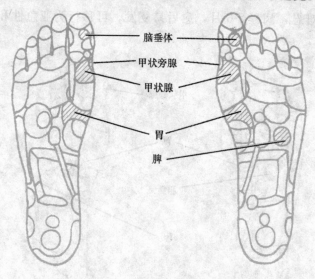

图 8-46

四十七、预防湿疹

湿疹是一种常见的表皮的炎症，具有瘙痒，糜烂，渗出，结痂，肥厚及苔藓样变等特点的皮肤疾病。一年四季均可发病，男女老幼均可发生。身体表面任何部位均可被侵犯，以头颈部，四肢屈侧，耳部，咽，乳部，脐窝，外生殖器，小腿，手足等部较多，皮疹呈多形性，如红斑，丘疹，水疱，糜烂，渗液，结痂，脱屑，皮肤色素沉着等。分布对称，大小不一，数目不等。临床上可分急性，亚急性，慢性三期。

①临床症状：

急性湿疹：起病较急，可迅速蔓延全身，损害呈多形性，常对称发生，可见片状红斑，密集丘疹，粟样水疱。渗液不断，境界不清，灼痒难忍，病程2-6月，愈后易复发。可移行为亚急性和慢性湿疹。

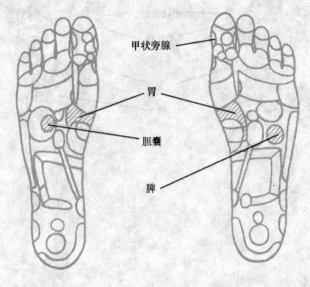

甲状旁腺

胃

胆囊

脾

图 8-47

亚急性湿疹：多由急性期不愈而转成，水疱减少，渗液黏稠，水肿稍息，色淡不鲜，表面附碎屑，瘙痒仍甚。不及时治疗可转为慢性湿疹。慢性湿疹：病久皮损处呈灰褐色，边界明显，粗糙，肥厚，苔藓样变，有鳞屑或轻度糜烂，结痂，顽痒剧烈，多呈干性，遇热或入睡时痒痒可加剧。

②对症配穴：

足穴：血海，阴陵泉，足三里，三阴交，上巨虚，太溪。

足反射区：先按主穴腹腔神经丛，肾，膀胱，输尿管，肾上腺，再按脾，胃，胆囊，甲状旁腺。

③注意事项：

忌食辛辣腥发物，忌用热水，肥皂，盐水及有刺激性的洗涤用品，以减少本病的复发。避免搔抓，不要用手撕去痂屑。

四十八、带状疱疹的有效按摩

带状疱疹是由水痘—带状疱疹病毒感染所致的急性炎症性，神经性皮肤病。多见于中老年人，女性较多，发病多在春、秋季，好发于胸背及腰部。中老年人常有后遗神经痛。病损处疼痛剧烈，呈烧灼样，伴发热，全身不适，头痛等症状。

①临床症状：

初起为炎症性红斑，丘疹，继则很快出现水疱，疱壁光滑，疱

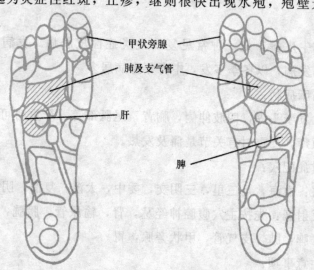

图 8-48

液澄清透明，状似珍珠，如绿豆，黄豆般大小，水疱周围有红晕，数个或更多的水疱集成簇状连成片状，1-2周后水疱干燥结痂，脱落，一般不留瘢痕。病程2-4周。多数发生在单侧，沿周围神经分布，排列呈带状。

②对症配穴：

足穴：阳陵泉，行间，足三里，上巨虚，三阴交，血海。

足反射区：先按主穴腹腔神经丛，肾，输尿管，膀胱，肾上腺，再按甲状旁腺，肝，脾，肺。

③注意事项：

三叉神经眼支区发生的带状疱疹应积极治疗，重视护理，防止引发失明。注意卧床休息。

四十九、银屑病

俗称牛皮癣，是一种常见复发性炎症性皮肤病。发病率较高，四季皆可发病，以冬季多发，中青年患病居多。

①临床症状：

常见发于头皮，四肢伸侧，胸背，尾骶部等，严重时可至全身。皮损处微痒，严重时有关节楚痛及发热。

②对症配穴：

足穴：血海，足三里，三阴交，委中，太溪，复溜，阴陵泉。

足反射区：先按主穴腹腔神经丛，肾，输尿管，膀胱，肾上腺，再按肝，脾，肺，支气管，甲状旁腺，胃。

③注意事项：

饮食宜清淡，少食肉类及脂肪食品，多食蔬菜与水果，忌食辛辣腥发及酒类。保持心情舒畅，防止外伤。避免应用各种强刺激药物。

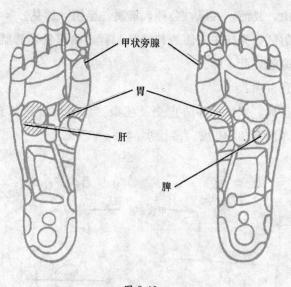

甲状旁腺

胃

肝

脾

图 8-49

五十、丹　　毒

丹毒是由溶血性链球菌引起的急性皮肤或黏膜的网状淋巴炎，但不引起化脓或皮肤坏死。具有反复发作的特点。

①临床症状：

发病急骤，可见畏寒发热，头痛等前驱症状。皮损处呈淡红色或鲜红色水肿性斑片，压之褪色，局部稍隆起，境界清楚，表面紧张发亮，向四周扩展迅速。自觉皮损处灼痛，严重者发生水疱或血疱，中心部分褪色呈棕黄色，脱屑。好发于颜面及下肢，有皮肤黏膜破损史或有炎性病灶。

②对症配穴：

足穴：足三里，血海，阳陵泉，阴陵泉，悬钟，三阴交，太冲，行间，承山，复溜，八风，公孙，解溪，至阴，厉兑。

足反射区：先按主穴腹腔神经丛，肾，输尿管，膀胱，肾上腺，再按甲状旁腺，肝，脾。

③注意事项：

禁止搔抓，水烫，并防止交叉感染。患者应卧床休息，下肢丹毒要抬高四肢至30-40度。多饮水。

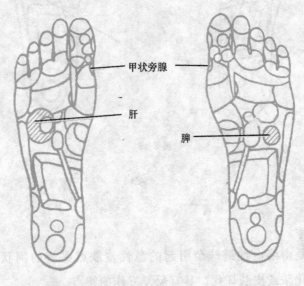

图 8-50

五十一、斑 秃

俗称"鬼剃头"，是一种骤然发生的头发呈局限性斑状脱落，可无其他自觉症状的疾病。中年男女或青少年均可发生。男性略多，发病与季节无关，无传染性。多因过度疲劳，强烈的精神刺激或长期的睡眠不足引起。

①临床症状：

多突然发病，头部出现孤立圆形或椭圆形秃斑，境界清楚，一块或数块，表面光滑，一般无自觉症状。严重者见眉毛，胡须，腋毛，阴毛等脱落。病程可持续数月至数年不等，多数可自行恢复，恢复期头发较细软呈黄白色毫毛样，以后逐渐变粗硬，变黑色，最后恢复正常。

②对症配穴：

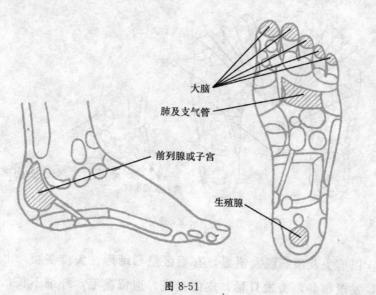

大脑

肺及支气管

前列腺或子宫

生殖腺

图 8-51

足穴：足三里，三阴交，血海，行间，太冲，太溪，阴陵泉。

足反射区：先按主穴腹腔神经丛，肾，输尿管，膀胱，再按大脑，肺及支气管，子宫，前列腺，生殖腺。

③注意事项：

保持情绪稳定，睡眠充足，忌食辛辣刺激食物。注意头发和头皮的卫生，忌用肥皂洗头。

五十二、还你一头乌发

脂溢性脱发又称早秃，是指从前发缘至头后或头顶部头发稀疏，呈进行性发展。常有家族史，可能与遗传因素和血液循环中有足量的雄激素有关。常伴皮脂溢出，好发于男性，多见于青年男性。

①临床症状：

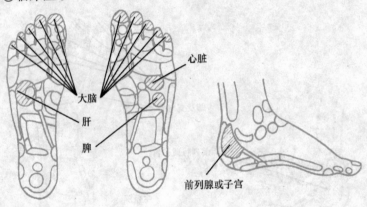

图 8-52

以前头及顶部脱发明显，有毛区呈马蹄形。头皮多脂，出油黏腻，发根细弱，头发日稀，皮面光亮，遗留毳毛，纤细不长，甚者额部和头顶部头发完全脱落。病程缓慢，轻度搔痒，伴有皮脂溢出或脂溢性皮炎。

②对症配穴：

足穴：足三里，血海，三阴交，太溪，照海，太冲。

足反射区：先按主穴腹腔神经丛，肾，输尿管，膀胱，肾上腺，再按子宫，前列腺，大脑，脾，肝。

③注意事项：

注意劳逸结合，保证充足睡眠。解除思想负担，保持大便通畅。少食肥厚辛辣食品。常用温水洗头，头皮常见日光照射。

五十三、美丽从皮肤开始

神经性皮炎是以阵发性剧痒和皮肤苔癣样变以及与精神情绪有密切关系的慢性炎症性皮肤病。多见于中老年，病程缠绵，持续数月数年而不易治愈，愈后易复发。

①临床症状：

发于四肢的外露部位，如颈周，眼睑，肘窝，腘窝，尾骶部，四肢伸侧，会阴，阴唇，阴囊，大腿内侧等。先有局部瘙痒感，搔抓后见针头大小扁平丘疹，圆形或多角形，密集成群，呈淡褐色，

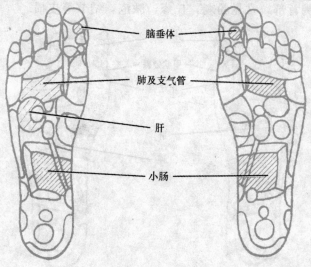

脑垂体

肺及支气管

肝

小肠

图 8-53

久之融合成片状，皮纹加深，呈苔藓样改变。局部瘙痒呈阵发性，入夜尤甚。

②对症配穴：

足穴：血海，阴陵泉，三阴交，委中，足三里。

足反射区：先按主穴腹腔神经丛，肾，输尿管，膀胱，肾上腺，再按肺，支气管，小肠，肝，脑垂体。

③注意事项：

避免局部刺激，不能用热水洗烫，避免搔抓。饮食忌食辛辣腥发食品。

五十四、强化你的排泄道

痤疮是青春期常见的一种慢性毛囊皮脂腺炎症性皮肤病。好发于面部，胸背部，常见粉刺，丘疹，脓疱，结节等皮损。

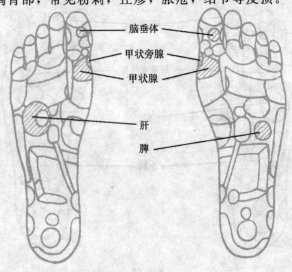

图 8-54

①临床症状：

多发于青少年，初为毛囊性小丘疹，毛囊口外见黑头粉刺，多呈对称分布，可稀可密，如发生感染易形成脓疱，还有囊肿硬结形成，多伴有皮脂溢出症，自觉皮损处痒感。病程较长，青春期过后有自愈倾向，但可留下疤痕，皮肤色素沉着等损害。

②对症配穴：

足穴：足三里，三阴交，血海，内庭，支沟，丰隆。

足反射区：先按主穴腹腔神经丛，肾，输尿管，膀胱，肾上腺，再按脑垂体，甲状旁腺，甲状腺。

③注意事项：

皮疹处忌挤压以免感染而留下疤痕。饮食宜清淡，忌食辛辣肥甘之品。经常清洁面部过多的皮脂以保持毛囊的畅通。

五十五、不要被这种皮肤病所困扰

系统性红斑狼疮使全身多系统受累，病程迁延，病死率高。

①临床症状：

起病隐匿，多以低热为主，伴乏力，恶心，食欲下降，体重减轻等症状。多有关节痛和肌痛，查双手近端指间关节，掌指关节，腕关节及膝关节肿胀，无明显关节畸形。有典型的颧部及鼻梁蝶形红斑，盘状红斑，及雷诺现象，对日光异常反应并出现皮疹，网格状小静脉皮肤病变，还可见脱发或秃发，常见口腔溃疡。心脏受累者可见胸闷，心悸，气短，心音减弱。心包摩擦音，心脏扩大甚至心力衰竭，超声心动图有助于诊断。

②对症配穴：

足穴：委中，内庭，血海，行间，太冲，三阴交，太溪，足三里。

足反射区：先按主穴腹腔神经丛，肾，输尿管，膀胱，肾上腺，再按肝，脾，胃，肺及支气管，膝，胸部淋巴腺，上下身淋巴腺。

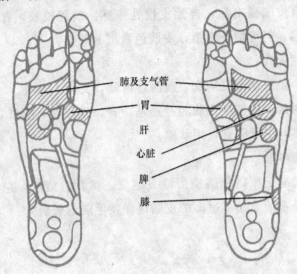

图 8-55

③注意事项：

保持心情舒畅，避免妊娠，分娩，饮酒，日晒，感冒等。

五十六、一双明亮的眼睛

近视眼是指眼在调节静止状态下，平行光线入眼后，在视网膜前面成焦点，光线到视网膜上成一不清晰图像，是一种屈光不正的眼病。好发于青少年。

①临床症状：

视力疲劳，看远模糊，看近清楚，易出现外隐料或外斜视。高度近视眼球前后径伸长。眼球稍突出，前房较深，瞳孔大而反射较慢，并可引起眼底的迟行性改变及黑色圆形斑等。常有晶状体混浊，玻璃体混浊和后脱离，视网膜裂孔，视网膜脱离等并发症和后发症。

②对症配穴：

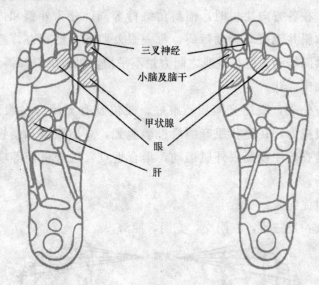

三叉神经
小脑及脑干
甲状腺
眼
肝

图 8-56

足穴：太冲，足三里，三阴交，太溪，光明，行间，照海，公孙。

足反射区：先按主穴腹腔神经丛，肾，输尿管，膀胱，肾上腺，再按眼，肝，甲状腺，小脑及脑干，三叉神经。

③注意事项：

注意眼部卫生，坚持作眼保健操，青少年要注意坐姿，避免过度用眼。

五十七、正视你的目光

·共同性斜视是指双眼视轴分离，眼外肌及其神经支配均无器质性病变，在各方向注视时，偏斜角维持等同。分为外斜和内斜，这种眼位偏斜并无眼球运动障碍，每一眼外肌的功能存在，两眼能向各方向共同转动，但拮抗肌之间力量不平衡，以致眼位偏斜。

①临床症状：

检查外眼，眼屈光间质，眼底，眼位及有无闭合一眼的趋势，检查裸眼视力，在睫状肌麻痹后检验验光，查出限位和斜视角。眼及头位检查，注视及眼外肌运动，集合近点，融合机能等项检查可协助诊断。

②对症配穴：

足穴：足三里，三阴交，光明，照海。

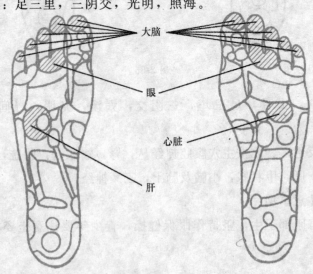

图 8-57

足反射区：

先按主穴腹腔神经丛，肾，输尿管，膀胱，肾上腺，再按眼，肝，心，脑。

③注意事项：

可配戴眼镜矫正。

五十八、获得锐利的目光

青光眼是由于病理性高眼压和视乳头血管灌注压降低引起视乳头损害和视野缺损的一种眼病。为致盲的主要原因之一。多见于 50 岁以上妇女。常因情绪激动，留暗处过长，劳累或应用散瞳剂或缩瞳剂等引起。

①临床症状：

临床前期：一只眼睛已有急性发作，另一眼具有前房浅，房角窄的解剖特点。

小发作：视力模糊，虹视，眼痉头痛，睫状充血，瞳孔散大，对光反应迟钝，眼压稍高，能自行缓解。

急性发作期：视力急剧下降，结膜混合充血且水肿，角膜呈雾状水肿混浊，前房甚浅，房角闭塞，瞳孔散大呈椭圆形，对光反应消失，眼压高，头痛剧烈，恶心，呕吐。

间歇期：急性发作期过后，房角开放，眼压下降，症状消失，随时可复发。

慢性期：睫状充血，瞳孔中度散大，眼压在 6：65kPa 以内，房角部分闭塞或房角部分粘连，视野缩小，眼底可见视乳头凹。

绝对期：光感消失，瞳孔散大，强直，视神经萎缩，并发白内障，角膜多性虹膜萎缩，甚至眼球萎缩。

②对症配穴：

足穴：足三里，三阴交，行间，光明，太冲，足临泣，中封，大钟，太溪，侠溪，涌泉。

足反射区：

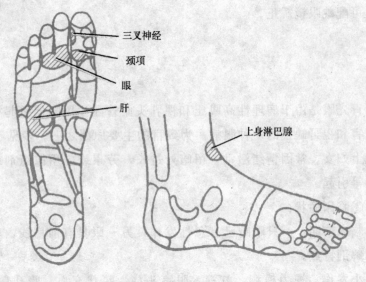

图 8-58

先按主穴腹腔神经丛，肾，输尿管，膀胱，再按三叉神经，颈项，眼，肝，上身淋巴腺。

③注意事项：

暗处不宜停留过久。慎用散瞳药，忌用阿托品，颠茄，普鲁本辛，胃复安等解除胃肠痉挛的药物，以免使瞳孔开大，眼压升高。避免一切精神刺激或紧张及情绪激动，保持心情舒畅，忌烟酒。注意保持大便通畅，避免因大便干结排便时过于用力。

五十九、增强睫状肌

老视眼俗称老花眼，随着年龄增长，晶状体核逐渐硬化，使晶状体的弹性逐渐减低及睫状肌衰弱，因此眼的调节作用随之减退，从而看近发生困难，常于 40 岁左右开始。

①临床症状：

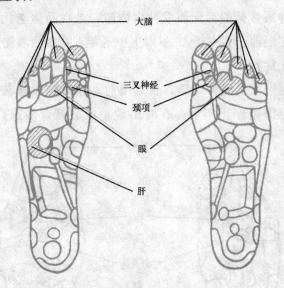

图 8-59

在早期，患者将书籍拿到较远处才能看清，以后逐渐发展到将书拿到远处也不能看清，伴有调节疲劳的症状。

②对症配穴：

足穴：太冲，太溪，足临泣，侠溪，足三里，三阴交，光明，涌泉。

足反射区：

先按主穴腹腔神经丛，肾，输尿管，膀胱，肾上腺，再按三叉神经，大脑，颈项，眼，肝。

③注意事项：

配合熨眼疗效更好。

六十、减少白内障的发病

白内障是因多种因素致透明的晶体形成混浊的疾病。老年性白内障是一种最常见的后天原发性白内障，是在晶体老化过程中逐渐出现的多性混浊，多发于40岁以上中老年人，多为双侧发病。

①临床症状：

患者逐渐发生视力障碍，自觉眼前有暗影随眼球转动，眼球静止后暗影也即刻停止不动，有时出现单眼疲视，多视。视力降低，

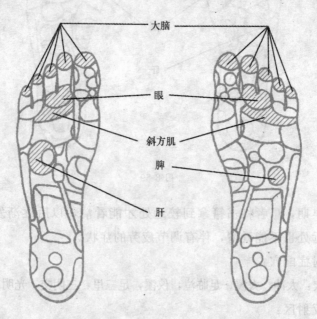

大脑

眼

斜方肌

脾

肝

图 8-60

最后仅见眼前手动或光感。

②对症配穴：

足穴：太溪，太冲，足三里，丰隆，光明，三阴交。

足反射区：先按主穴腹腔神经丛，肾，输尿管，膀胱，肾上腺，再按眼，肝，脾，大脑，斜方肌。

③注意事项：

白内障晚期成熟阶段宜行手术治疗。

六十一、中心性视网膜炎

中心性视网膜炎是常见的急性眼底病，表现为眼底黄斑部及其邻近的视网膜发生病变，外眼正常而自觉视物模糊，可单眼或双眼先后发病，有反复发作倾向，好发于中年男性。

①临床症状：

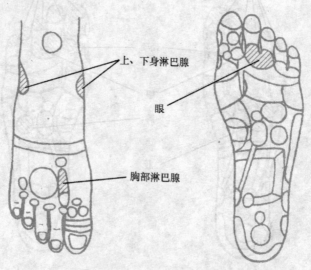

图 8-61

自觉视力下降，随反复发作而加重，出现中心暗点，视物变小，变形及变色，多伴有眼胀，头痛。

②对症配穴：

足穴：足三里，三阴交，光明，足临泣。

足反射区：先按主穴腹腔神经丛，肾，输尿管，膀胱，肾上腺，再按眼，上，下身淋巴腺，胸部淋巴腺。

③注意事项：

保持心情舒畅。

六十二、眼疲劳症

眼疲劳症多由于屈光不正，屈光矫正不当，眼肌功能障碍或失

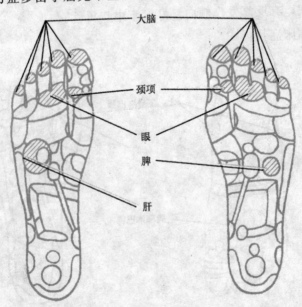

图 8-62

调，眼病，全身性疾病及工作，环境因素不适等引起。现多见于电脑工作者。

②对症配穴：

足穴：足三里，三阴交，光明，太溪，太冲。

足反射区：先按主穴腹腔神经丛，肾，输尿管，膀胱，再按眼，肝，脾，大脑，颈椎。

③注意事项：

注意眼的保健，适当休息，特别是电脑工作者，要注意劳逸结合。要配带合适的眼镜。

六十三、糖尿病性眼病

糖尿病性眼病包括糖尿病视网膜病，糖尿病性白内障，青光眼，屈光改变，虹膜睫状体病变。有糖尿病病史超过 10-15 年的患者，半数以上出现视网膜病变。

①临床症状：

非增殖型：有视网膜微血管瘤，视网膜出血斑，软性及硬性渗出物，视网膜动脉和静脉病变，眼底血管荧光造影检查有助早期诊断。

增殖型：有新生血管出现，血管易破裂致视网膜前和玻璃体出血，血凝机化后，引起视网膜脱离而致失明。

②对症配穴：

足穴：足三里，三阴交，光明，丘墟，太冲，太溪，涌泉。

足反射区：先按主穴腹腔神经丛，肾，输尿管，膀胱，再按肝，胸椎，坐骨神经，甲状腺。

③注意事项：

注意眼部的保健。

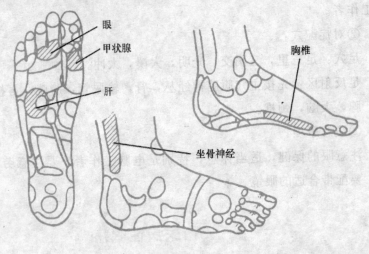

图 8-63

六十四、慢性鼻炎

慢性鼻炎是以鼻塞为主的鼻黏膜或鼻黏膜下层的慢性炎症。职业及环境因素，鼻部因素，药物因素，内分泌因素，精神神经因素，囊样纤维变等持续刺激鼻黏膜，影响鼻黏膜纤毛清除功能，增加鼻呼吸阻力均可引起本病。分单纯性和肥厚性鼻炎两种，单纯性鼻炎可逆，肥厚性鼻炎鼻黏膜肥厚，骨膜及鼻甲骨增生肥厚。

①临床症状：

慢性单纯性鼻炎：鼻塞为交替性，间歇性。鼻分泌物呈黏液性量少，鼻涕向后流入咽喉，可见咽喉不适，多痰伴嗅觉减退，健忘，失眠等症状，滴麻黄素后鼻塞消失。

慢性肥厚性鼻炎：以持续性鼻塞为主，有闭塞性鼻音，嗅觉减

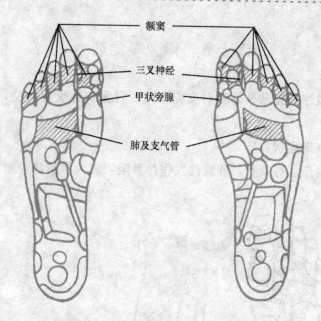

图 8-64

退伴咽痛，头痛，头昏，滴麻黄素后鼻塞略减轻或无效。鼻分泌物呈黏液性或黏脓性，量略多。

②对症配穴：

足穴：委中，飞扬，昆仑，通窍，照海，束骨，金门，京骨，女膝，厉兑，至阴，隐白。

足反射区：先按主穴腹腔神经丛，肾，输尿管，膀胱，再按鼻，额窦，三叉神经，肺及支气管，甲状旁腺。

③注意事项：

注意保暖，防止感冒，若经常性涕中带血，有异味，应排除肿瘤的可能。

六十五、增强嗅觉能力

过敏性鼻炎是鼻黏膜对变应原的一种保护性反应病变，具有常年性。

①临床症状：

鼻内痒，打喷嚏，阵发性发作伴鼻阻，流大量清涕，重者头昏，头胀。

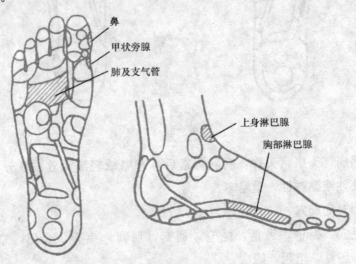

图 8-65

②对症配穴：

足穴：足三里，三阴交，血海，阴陵泉，地机，太溪，内庭。

足反射区：先按主穴腹腔神经丛，肾，输尿管，膀胱，肾上腺，再按鼻，甲状旁腺，支气管，上，下身淋巴腺，胸部淋巴腺。

③注意事项：

注意锻炼身体，增强机体免疫力，可减少本病的发生。

六十六、鼻窦炎

鼻窦炎是一种常见病，常因疲劳，受凉，营养不良，烟酒过度或鼻腔本身病变引起鼻窦引流不畅，鼻窦的通气不良。临床上以慢性额窦炎常见。

①临床症状：

自觉眉根部，内眦部，面前部或头颅深部或部位不清的疼痛感。单侧头痛，有一定时间性，即起床后开始疼痛，上午 10 时以后减轻或消失，持续约 1 周左右，伴头昏，头胀。一侧或双侧鼻塞，晨起较重，鼻中有臭味，嗅觉减退。急性鼻窦炎常有发热，常可并发咽炎，扁桃体炎等。

②对症配穴：

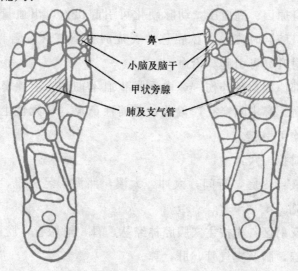

鼻
小脑及脑干
甲状旁腺
肺及支气管

图 8-66

足穴：行间，足三里，公孙，阴陵泉，臣墟，内庭。

足反射区：先按主穴腹腔神经丛，肾，输尿管，膀胱，肾上腺。再按鼻，肺及支气管，额窦，脑干，甲状旁腺。

③注意事项：

注意保暖，加强锻炼，以增强机体免疫力。鼻窦炎在急性发作期间应注意公共卫生，防止传染。

六十七、鼻出血

鼻出血是一种全身或局部疾病的常见症状，有原发，继发之别，量可少可多，轻者涕中带血；重者流血不止，可致贫血，休克甚至死亡。多发于鼻中隔的易出血区。

①临床症状：

全身原因：高血压，动脉硬化可引起出血，出血量较多，有时鼻腔，口腔同时流血。鼻腔急性炎症时血管扩张，若伴剧烈咳嗽，血压一时升高可引起鼻出血。

局部原因：鼻外伤，鼻内手术止血不彻底，上颌窦刺激均可引起鼻出血。鼻中隔穿孔，偏曲，萎缩性鼻炎，坏死性上颌窦炎，鼻部肿瘤均可引起。

②对症配穴：

足穴：内庭，行间，太冲，太溪，照海，足三里，隐白，足窍阴，厉兑。

足反射区：先按主穴腹腔神经丛，肾，输尿管，膀胱，再按鼻，甲状旁腺，肺及支气管，肝，脾。

③注意事项：

鼻出血起因复杂，病情危急时，应采取各种外治法止血，必要

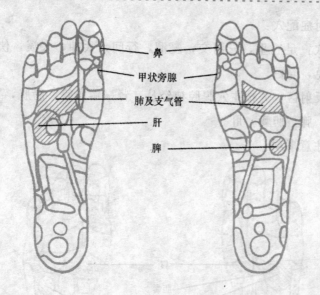

图 8-67

时配中西药对症治疗。易于鼻出血者，忌烟酒。若鼻腔作痒时，切忌用手指或异物抓挖鼻孔，以免刺破鼻黏膜引发出血。

六十八、复发性口疮

复发性口疮是口腔黏膜疾病中最常见的溃疡性损害，具有周期性复发的规律，以女性为多，是自身免疫性疾病的一种重要表现，其可因睡眠不足，精神紧张，情绪不佳，疲劳，月经期及吃某种食物等引起。溃疡好发于唇内侧，舌尖，软腭等角化层较差的区域。

①临床症状：

反复出现在口腔黏膜上的表浅溃疡。初起口腔内见细小红点，有灼热不适感，逐渐扩大，为半圆形或椭圆形浅溃疡，中央微凹，周围充血，若底软，有较剧烈烧灼痛，影响饮食。

②对症配穴：

足穴：足三里，三阴交，复溜，行间，太冲，太溪，侠溪，内庭，厉兑，隐白。

足反射区：先按主穴腹腔神经丛，肾，输尿管，膀胱，肾上腺，再按胃，脾，胆囊，肝。

③注意事项：

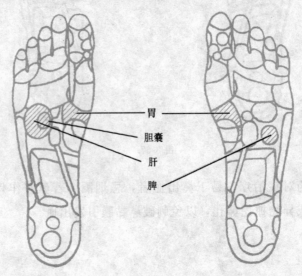

胃
胆囊
肝
脾

图 8-68

忌食辛辣，腥发之品，少饮咖啡，茶等刺激性饮料，戒酒戒烟。注意口腔卫生，要养成良好的生活习惯，劳逸结合，睡眠要充足，情绪要稳定，保持心情舒畅。

六十九、抑制牙痛

牙痛是口腔科疾病常见的症状之一，常因龋齿，冠周炎，牙周炎，齿龈炎，牙髓炎，三叉神经痛等引起，遇冷，热，酸，甜等刺激疼痛可加剧。

①临床症状：

疼痛剧烈或隐痛，或上，下颌牙齿接触时或咀嚼时发生的疼痛，或为自发痛或激发痛，疼痛可持续性，阵发性或放散性，伴全身发热，牙龈肿胀，流脓出血，牙齿松动，张口困难等。

②对症配穴：

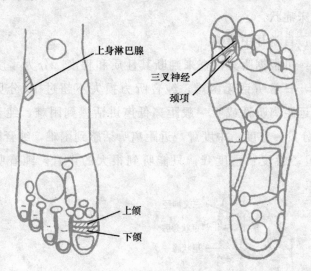

图 8-69

足穴：足三里，三阴交，照海，行间，内庭，太溪，足通理，八风，女膝，厉兑，丘墟，公孙，陷谷，足临泣，大敦，足窍阴。

足反射区：先按主穴腹腔神经丛，肾，输尿管，膀胱，肾上腺，再按上腭，下腭，三叉神经，颈项，上身淋巴腺。

③注意事项：

平素注意口腔卫生，养成良好的生活习惯，避免热，冷，酸，甜等刺激。

七十、强化听力

耳鸣是指病人自觉耳内鸣响，妨碍听觉及听觉功能紊乱的一种症状。耳聋是指不同程度的听力减退。耳鸣因自觉耳内有声，常由此妨碍听觉，故耳鸣，耳聋往往同时存在。

①临床症状：

耳鸣：自觉耳中鸣响。

耳聋：可根据听力检查来判断其性质和程度。分为 4 度：0 度：听力正常，日常听话无困难，纯音听力损失不超过 10 分贝。Ⅰ度：轻度聋，远距离听话或听一般距离低声讲话感到困难，纯音听力损失 10-30 分贝。Ⅱ度：中度聋，近距离听话感到困难，纯音听力损失 30-60 分贝。Ⅲ度：重度聋，只能听到很大的声音，纯音听力损失 60-90 分贝。

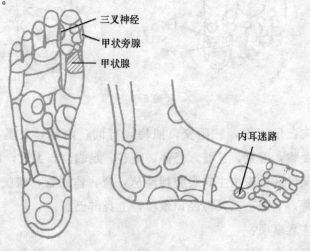

图 8-70

②对症配穴：

·足穴：行间，内庭，丰隆，太冲，太溪，三阴交，足三足窍阴，侠溪。

足反射区：先按主穴腹腔神经丛，肾，输尿管，膀胱，再按甲状腺，甲状旁腺，三叉神经，内耳迷路。

③注意事项：

鼓膜内陷而导致耳聋者，在采用针刺治疗同时，结合"自家吹气"法对提高疗效，缩短病程有补益。远离噪音区，注意调理情绪，保持心情舒畅。

七十一、急性化脓性中耳炎

急性化脓性中耳炎是指细菌进入中耳引起的急性炎症，病变主要位于鼓室，小儿常在患猩红热，麻疹时并发，与鼻炎，喉炎有密切关系。

①临床症状：

急性炎症期：发热，畏寒，乏力，耳闷，耳胀兼痛，听力有所下降，为传导性耳聋。检查：鼓膜无光泽，充血。血常规示白细胞总数增多，中性粒细胞比例增加。

急性化脓期：体温升高，耳痛剧烈，听力明显下降，鼓膜穿孔脓液流出后，耳痛可明显减轻，发热等中毒症状渐减轻。检查鼓膜紧张部有针尖样穿孔，分泌物溢出。乳突摄片：乳突气房模糊，无骨破坏。

并发症期：患耳流脓，耳痛，乳突区疼痛不退，可持续 2-3 周，体温高，白细胞增加。检查：鼓膜充血，脓液自鼓膜穿孔处温出，乳突区压痛，乳突 X 线示乳突气房云曰。

恢复期：耳痛消失，耳漏停止，听力恢复。

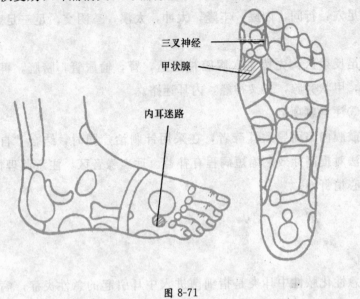

图 8-71

②对症配穴：

足穴：阳陵泉，侠溪，足三里，阴陵泉，丘墟，太溪，足临泣，金门，涌泉。

足反射区：先按主穴腹腔神经丛，肾，膀胱，输尿管，肾上腺，再按三叉神经，甲状旁腺，内耳迷路。

③注意事项：

若耳道渗出脓液应配合外洗法清洁耳道。如耳膜穿孔，应积极采取专科治疗。哺乳时应将婴儿抱起，使其头部竖直。鼓膜外伤未愈或有陈旧性穿孔者不宜游泳。预防和治疗上呼吸道感染，不可用力擤鼻。忌食辛辣，鱼腥之品，以清淡饮食为主。

七十二、让颈部能正常活动

颈肌劳损俗称"落枕",是指患者颈项部强痛,活动障碍的一种病征,其多因睡眠姿势不当,或枕头过高或颈部扭伤,外伤或风寒侵袭项背而引起。

①临床症状:

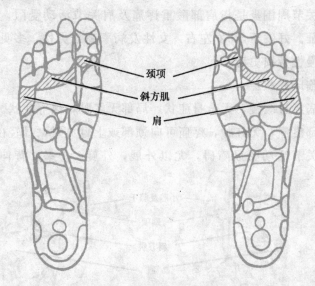

图 8-72

颈项部疼痛,强直,疼痛向同侧肩部及上臂放射,头斜向患侧,转颈时与躯干一起转动。局部肌肉痉挛紧张,无红肿,有压痛,颈部活动受限。

②对症配穴:

足穴:悬钟,阳陵泉,昆仑,丘墟。配落枕穴。

足反射区:先按主穴腹腔神经丛,肾,输尿管,膀胱,再按斜方肌。

③注意事项:

按摩足反射区时,要强刺激,嘱患者活动颈项,可使疼痛逐渐缓解,并可配合局部按摩,热敷,效果更为显著。

七十三、肩关节周围炎

肩关节周围炎是指肩部酸重疼痛及肩关节活动受限,强直的临床综合征。好发于 50 岁左右,女性发病率高于男性,多见于有肩部受寒,慢性劳损史者。

①临床症状:

发病经过缓慢,无全身症状,局部无红肿,热等症状。

肩部疼痛,无红肿,疼痛可向颈部或上臂放射,日轻夜重。

肩关节活动明显障碍,尤以外展,外旋,上举,背伸为甚。穿

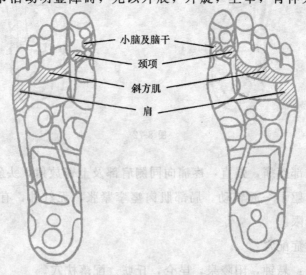

图 8-73

衣，梳头等日常生活受限制，在肱二头肌肌腱部，肩峰下，喙突下，肩后小圆肌等处有明显压痛。

②对症配穴：

足穴：足三里，条口透承山，阳陵泉，委中，丘墟，足通理，足临泣，昆仑，公孙。

足反射区：先按主穴腹腔神经丛，肾，输尿管，膀胱，肾上腺，再按颈项，肩，斜方肌，小脑及脑干。

③注意事项：

注意保暖，嘱患者坚持进行功能锻炼，以加速本病的痊愈。

七十四、维持腰部的正常活动

腰椎间盘脱出症是由于在腰椎间盘退行性改变的基础上，合并不同程度的外伤所致的纤维环破裂，髓核突出，压迫神经根而出现的一系列临床症状和体征。是引起腰腿痛最常见的原因之一，好发于青壮年，男性多于女性。

①临床症状：

常因外伤，劳累或受凉诱发，腰痛伴有单侧或双侧下肢放射性疼痛，咳嗽，喷嚏，排便用力等可使疼痛加重，若为旁型突出者，可出现自腰骶部，臀部开始向大腿后外侧及小腿外侧，足背等处放射，伴有麻木不适感；若为中央型突出者，可出现马尾综合征（即双下肢同时或交替痛，会阴区麻木感），伴有腰椎管狭窄症者，可出现间歇性跛行。

②对症配穴：

足穴：阳陵泉，足三里，悬钟，承山，承筋，委中，合阳，昆仑，太溪，大钟，侠溪，足临泣。

足反射区：先按主穴肾，输尿管，膀胱，腹腔神经丛，再按颈椎，肝，胆囊，上身淋巴腺，下身淋巴腺。

③注意事项：

严重患者应配合推拿牵引或手术治疗。卧硬板床休息，注意保暖，避风寒，提物时注意姿势。

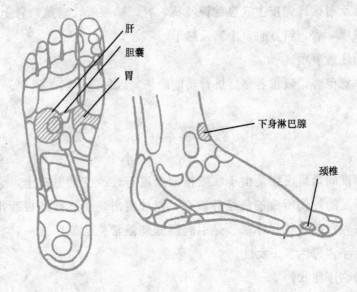

图 8-74

七十五、急性腰扭伤

急性腰扭伤是因强力负重，引起腰部肌肉强烈收缩，使筋膜，肌肉，韧带等发生损伤；或因劳动中姿势不当，使腰肌，小关节，韧带之间在用力时平衡失调，而使部分肌肉韧带因超负荷而造成损伤。亦可在咳嗽，喷嚏，哈欠伸腰时发生扭伤。

①临床症状：

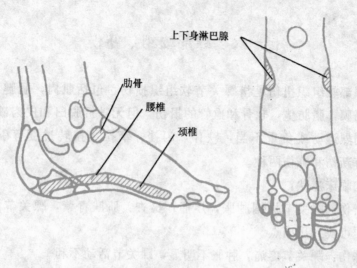

图 8-75

　　有急性腰部扭伤史，患者自觉损伤时有响声或有突然断裂感，剧痛，咳嗽，喷嚏，深呼吸均可使疼痛加重，休息后疼痛不能缓解，次日更重，无下肢放射痛及神经定位症状。

　　患者腰部强直，站立时两手撑腰，步履艰难，活动受限，腰肌紧张，腰部压痛明显，如为肌肉或筋膜损伤，压痛点多位于骶棘肌，腰椎横突，髂骨后部等处；如棘间韧带损伤，则压痛点在中线棘突上。

　　②对症配穴：

　　足穴：委中，阳陵泉，昆仑，悬钟，承山，太冲。

　　足反射区：先按主穴腹腔神经丛，肾，输尿管，膀胱，肾上腺，再按上身淋巴腺，下身淋巴腺，胸椎，腰椎，肋骨。

　　③注意事项：

　　治疗期间腰部肌肉要放松，利于损伤的恢复。

247

七十六、踝部软组织扭伤

踝部软组织扭伤是指踝关节软组织损伤，包括肌肉，肌腱，韧带，筋膜，脂肪垫，软骨和血管的损伤，但无骨折脱臼和皮肉破损。多因剧烈运动或负重不当，跌仆，闪挫，牵拉或扭转过度等引起。临床有新伤和陈伤两种。

①临床症状：

新伤：踝关节周围肿胀，疼痛；检查：肌肤青紫，踝关节活动不利，可找到压痛点。

陈伤：踝关节疼痛，肿胀不明显，踝关节活动不利。

②对症配穴：

足穴：血海，阳陵泉，解溪，昆仑，丘墟，足三里，三阴交。

足反射区：先按主穴腹腔神经丛，肾，输尿管，膀胱，再按下

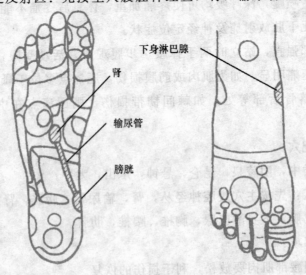

图 8-76

身淋巴腺。

③注意事项：

若韧带断裂，应及时伤科处理。对于有被血而血肿不严重的，针刺足穴后配合拔罐治疗，效果更佳。

七十七、肱骨外上髁炎

肱骨外上髁炎俗称"网球肘"，是指肱骨外上髁，桡骨头，肱桡关节滑囊处的无菌性炎症，好发于家庭主妇，瓦匠，网球及羽毛球运动员，以及前臂劳动强度大的工人。

①临床症状：

肘关节前外侧疼痛，用力握拳及作前臂旋转动作时，疼痛加剧，握物无力。

检查见肘关节外侧肋骨外上髁，肱桡节和桡骨头的前缘等处压痛明显，在腕关节背伸时于手背部加压，也可引起肘部疼痛，但震

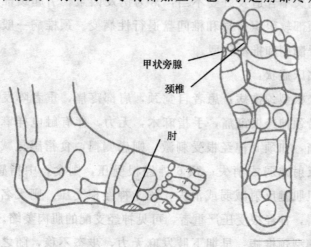

甲状旁腺

颈椎

肘

图 8-77

痛和被动运动痛不明显，局部无红肿，肘关节活动正常。

②对症配穴：

足穴：阳陵泉，悬钟，飞扬，丘墟，足三里，三阴交。

足反射区：先按主穴腹腔神经丛，肾，输尿管，膀胱，再按颈椎，甲状旁腺。

③注意事项：

患者尽量休息患肢，若粘连可配合局部按摩。

七十八、颈椎病

颈椎病是颈椎及其周围的软组织，如椎间盘，黄韧带，脊髓稍膜等发生病理改变，导致颈神经根，颈脊髓，推动脉及交感神经受到压迫或刺激，从而产生的各种症状。本病多见于40岁以上的成年人，为一种常见病多发病，多为慢性病程。外伤，劳累，风寒外感，炎症，枕头不合适及卧姿不当，常为诱发因素。引起颈椎病的主要原因是颈部软组织劳损和椎间盘退行性病变。颈椎病一般分为神经根型，脊髓型和推动脉型。

①临床症状：

神经根型颈椎病：患者自觉颈，肩部疼痛，重者阵发性剧烈疼痛，多沿颈神经根窜痛，手指麻木，无力，伴有触电样麻痛感，有的伴头痛，如颈5神经根受刺激，则患侧拇，食指感觉减退，肱二头肌腱反射减弱或消失；颈6神经根受压，则食，中指感觉减退，肱二头肌肌腱反射减弱或消失；颈7神经根受压，则无名指，小指感觉障碍，神经根受压严重者，可见神经支配的肌肉萎缩。

脊髓型颈椎病：早期下肢发麻无力，步态不稳，随之一侧或双侧上肢麻木，甚至四肢瘫痪，卧床不起，大便失禁，小便潴留，伴有头痛，眼痛，耳痛，吞咽困难，面部出汗。颈椎活动受限，肌力减弱，肌肉压痛，甚至萎缩，牵扯试验及挤压试验阳性，上下肢反射亢进，巴彬斯基征阳性。

椎动脉型颈椎病：少见，多与上二型混合存在，除上述症状外，多有头痛，头晕，恶心，耳鸣，视物不清等症状，发作与头部突然活动或姿势改变有关。

交感型颈椎病：患者自觉心慌，咽梗，胸闷，霍纳征阳性。

②对症配穴：

足穴：阳陵泉，足三里，悬钟，申脉，外丘，昆仑，条口，京门，束骨，三阴交，内庭，涌泉，太冲，足通理，中封，然谷，金门。

足反射区：先按主穴腹腔神经丛，肾，输尿管，膀胱，再按颈项，颈椎，胸椎，肩，斜方肌。

③注意事项：

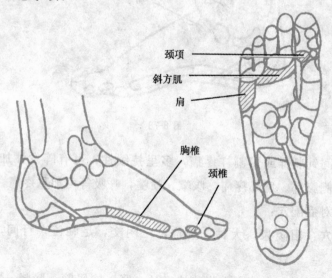

颈项
斜方肌
肩
胸椎
颈椎

图 8-78

可配合颈项部运动，若配合颈椎牵引疗效更好。平时垫枕不宜过高。

七十九、肋间神经痛

肋间神经痛是指一个或几个肋间神经走行分布区内的疼痛综合征，多由邻近器官或组织的病变，以及炎症，畸形，受寒和外伤等引起，也可见于带状疱疹引起的病毒性肋间神经炎，原发性肋间神经痛少见，多发于青年或有贫血的中年妇女，多呈持续性发展，缠绵不愈。

①临床症状：

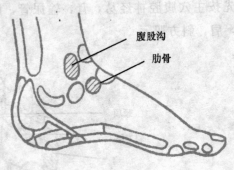

腹股沟
肋骨

图 8-79

肋间针刺样或刀割样疼痛，多呈持续性，可有阵发性加剧，常牵引同侧腹部。肩部疼痛，咳嗽，喷嚏，呼吸等可加重疼痛。

②对症配穴：

足穴：阳陵泉，大钟，蠡沟，三阴交，足临泣，行间，丘墟，太冲。

足反射区：先按主穴腹腔神经丛，肾，输尿管，膀胱，肾上腺。

再按内外肋骨，腹股骨。

③注意事项：

足部疗法治疗同时，配合针刺相应节段的夹脊穴，疗效显著。注意保持乐观情绪。

八十、骨性关节炎

骨性关节炎又称退性骨关节病，为动关节或滑膜关节的软骨退行性病变，是最常见的关节病及老年人运动障碍的主要原因，

①临床症状：

老年人逐渐出现非对称性关节痛。主要累及下肢负重关节，过度活动后加重，但晨僵不超过 20 分钟。关节局部触痛，软组织肿胀，有骨摩擦感。严重者可见关节活动障碍和特有的关节畸形。

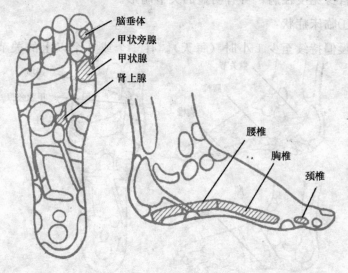

图 8-80

②对症配穴：

足穴：委中，阳陵泉，绝骨，足三里，血海，三阴交，昆仑，阴陵泉，水泉，申脉。

足反射区：先按主穴腹腔神经丛，肾，输尿管，膀胱，再按腰椎，颈椎，脑垂体，甲状旁腺，甲状腺，肾上腺。

③注意事项：

注意保暖，避免肢体过于劳累，负重。

八十一、类风湿性关节炎

类风湿性关节炎是指周围对称性的多关节慢性炎症性的疾病，可伴有关节外的系统性损害，70％患者血清中出现类风湿因子，是一种自身免疫性病，可有明显的关节畸形。

①临床症状：

晨僵持续至少 1 小时（每天）。有 3 个或 3 个以上的关节肿大。

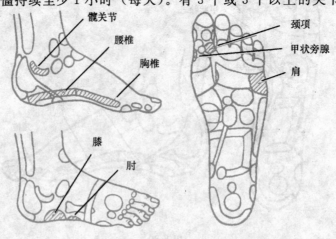

图 8-81

腕，掌指，近指关节肿大。对称性关节肿大。

②对症配穴：

足穴：阳陵泉，悬钟，曲泉，解溪，丘墟，昆仑，束骨，公孙，八风，阴陵泉，足三里，丰隆。

足反射区：先按主穴腹腔神经丛，肾，输尿管，膀胱，肾上腺，再按甲状旁腺，颈项，肩，胸椎，膝，肘，髋关节，腰椎。

③注意事项：

注意休息，坚持锻炼，以防止肌肉萎缩及关节畸形。

八十二、阑尾炎

阑尾炎是外科最常见的疾病之一，可发生于任何年龄，以青壮年为多，有急性和慢性两种。

①临床症状：

急性阑尾炎：转移性右下腹部疼痛。发病之初，脐周或上腹部正中央突发持续性疼痛，阵发性加剧，数小时至十几小时后转移至右下腹部，伴有轻度发热，恶心，呕吐，发烧，腹泻或便秘。右下腹阑尾点有固定明显压痛，有反跳痛，腹壁肌紧张，当阑尾炎症波及腰大肌时，腰大肌试验阳性，闭孔肌试验阳性及直肠指诊在直肠前壁右上方有触痛者，提示为盆腔位阑尾炎或有脓肿形成。

慢性阑尾炎：右下腹间歇性轻度疼痛，或为持续性隐痛，不适，餐后活动或剧烈运动时症状尤显著，伴有腹胀，便秘或腹泻，食欲减退，病程中可出现反复的急性发作，与急性阑尾炎相似，但无转移性右下腹痛的特点。右下腹局限性压痛，轻度腹肌紧张，有时可看到条索状肿块。常可因饭后剧烈活动，行走过久，饮食不节而诱发或加重。

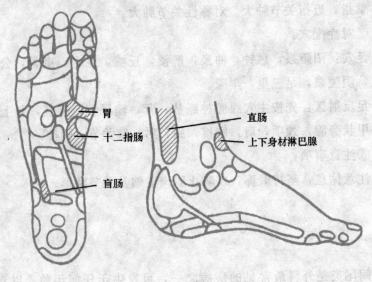

胃
十二指肠
盲肠
直肠
上下身材淋巴腺

图 8-82

②对症配穴：

足穴：阑尾穴，上巨虚，足三里，地机，内庭，公孙，阳陵泉，行间。

足反射区：先按主穴腹腔神经丛，肾，输尿管，膀胱，再按盲肠，直肠，上下身淋巴腺，胃，十二指肠。

③注意事项：

足部疗法可增强机体免疫力，加速腹腔液体的吸收，促进痊愈。

八十三、痔　疮

痔疮是肛管直肠下端的痔静脉丛曲张扩大形成的质软静脉团。为一种常见的肛门病，其典型症状是肛门直肠处形成隆起的痔核，根据部位不同分为内痔，外痔和内外混合痔，发病年龄以 20-40 岁成年人多见。

①临床症状:

内痔:主要是便血和脱出,无明显疼痛,其出血鲜红,便后即止,长期出血会导致贫血。其病程演变分三期,早期内痔是大便滴血但不脱出肛门外的小痔核;中期内痔是大便时流血,痔核脱出肛门外,便后自行回到肛门内;晚期内痔是每次排便痔核脱出肛外,不能缩回,咳嗽,用力,劳动时均可脱出,可发生破裂或形成肛门水肿,灼热剧痛。

②对症配穴:

足穴:承山,三阴交,阴陵泉,足三里,飞扬,委中,承筋,阳谷,商丘,复溜,太冲,阳辅,侠溪。

足反射区:先按主穴腹腔神经丛,肾,输尿管,膀胱,再按乙状结肠,直肠,肛门,肝。

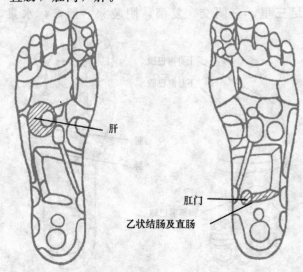

肝

肛门

乙状结肠及直肠

图 8-83

③注意事项：

避免劳累，久站负重，多吃水果蔬菜，保持大便通畅，少食辛辣刺激之物，忌烟酒。平时可常做提肛锻炼。

<h2>八十四、水　　肿</h2>

水肿为肾小球疾病常见临床表现。主要是由多种因素引起肾排泄水钠减少，导致水钠潴留，细胞外液量增多，毛细血管压升高引起水肿。

①临床症状：

详细询问病史有无与可发生水肿的心，肝，肾，内分泌系统疾病，有无营养障碍病史，女性月经，妇产科病史。

②对症配穴：

足穴：足三里，三阴交，复溜，阴陵泉，照海，水泉，委阳，

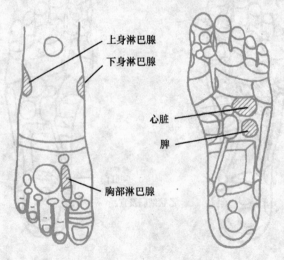

图 8-84

太溪，太冲，大都，公孙。

足反射区：先按主穴腹腔神经丛，肾，输尿管，膀胱，肾上腺，再按心，脾，上身淋巴腺，下身淋巴腺，胸部淋巴腺。

③注意事项：

饮食宜清淡，少食盐及腌制品。

八十五、尿路感染

又称泌尿道感染，是指病原体经尿道口上感染，或血行感染尿路黏膜或组织而引起的炎症，女性多见。临床上分为泌尿道感染（输尿管炎，肾盂肾炎）和下尿道感染（尿道炎，膀胱炎）。

①临床症状：

急性肾盂肾炎：起病急骤，高热，寒战，头痛，全身酸痛，乏力，尿频，尿急，尿痛伴腰痛。查上输尿管点或肋腰点有压痛，肾区叩击痛。

急性膀胱炎：无明显全身症状，有尿频，尿急，尿痛，排尿不畅，下腹部不适等膀胱刺激症状，典型者有脓尿，血尿。

慢性膀胱炎：长期存在尿频，尿急症状。尿中有少量或中量脓细胞，红细胞。

②对症配穴：

足穴：阴陵泉，三阴交，委中，血海，复溜，隐白，太冲，太溪，然谷，涌泉。

足反射区：先按足穴腹腔神经丛，肾，输尿管，膀胱，再按尿道，下身淋巴腺，胸部淋巴腺。

③注意事项：

女性注意外阴部清洁及经期卫生，婴儿要勤换尿布。

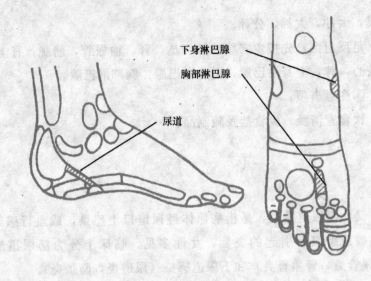

图 8-85

八十六、尿潴留

尿潴留是指膀胱内集有过量尿液，不能自主地排出。最常见于老年人前列腺增生引起的尿潴留。

①临床症状：

24 小时无尿排出，有膀胱胀满，尿急频数，但不能自尿道排出尿液，或尿次增多，排出量少，淋漓不尽等症状。

②对症配穴：

足穴：足三里，三阴交，太冲，太溪，大钟，涌泉，阴陵泉，至阴，束骨，昆仑，京骨。

足反射区：先按主穴腹腔神经丛，肾，输尿管，膀胱，肾上腺，再按尿道，生殖腺，前列腺。

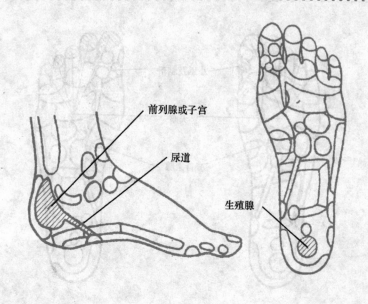

前列腺或子宫

尿道

生殖腺

图 8-86

③注意事项：

对功能性尿潴留应嘱患者排除紧张因素。

八十七、尿失禁

尿失禁是指尿液本能自制地自尿道口流出或漏出。

①临床症状：

压力性尿失禁：在增加腹内压时如打喷嚏或大笑，咳嗽及时，发生尿不自主漏出。

急迫性尿失禁：有强烈尿急的，不自主的漏尿。

反射性尿失禁；无排尿感觉，伴逼尿肌反射亢进。

充盈性尿失禁：膀胱过度充盈，无逼尿肌收缩情况下的不自主

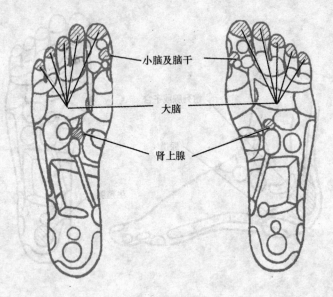

小脑及脑干

大脑

肾上腺

图 8-87

漏尿。

②对症配穴：

足穴：足三里，阴陵泉，太溪，复溜，涌泉，照海，束骨，昆仑，太冲，

足反射区：先按主穴腹腔神经丛，肾，输尿管，膀胱，再按脑，小脑，脑干，肾上腺。

八十八、急性乳腺炎

急性乳腺炎是乳房部最常见的外科急性化脓性疾病，多见于产后尚未满月的哺乳期妇女。

①临床症状：

以乳房红肿疼痛为主要症状，初起乳房结块，肿胀疼痛。排乳

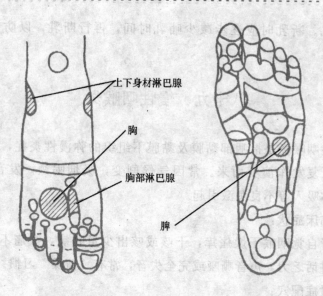

图 8-88

困难，恶寒，发烧，头痛，全身不适，如不及时治疗，则高热不退，局部跳痛，逐渐形成脓肿，表浅者自行向外溃破；深部脓肿出现全乳房胀大或形成乳房后脓肿，穿刺抽出脓液即可诊断。

②对症配穴：

足穴：足三里，委中，足临泣，下巨虚，丰隆，三阴交，太冲，行间。早期可采取穴位放血疗法。

足反射区：先按主穴腹腔神经丛，肾，输尿管，膀胱，肾上腺，再按胸，脾，上身淋巴腺，下身淋巴腺，胸部淋巴腺。

③注意事项：

若已化脓，溃破者或合并高烧，诣语者，应速采取中西医结合治疗措施。早期局部可热敷，采取本法治疗同时还可配合按摩乳房肿胀硬结处，可提高疗效。孕妇 5 个月后及哺乳妇女应保持乳头清洁；哺乳期经常用吸乳器吸乳，使乳汁排泄通畅；炎症严重者暂停哺乳婴儿。断乳时应逐步减少哺乳时间，再行断乳，以防止发生本病。

八十九、慢性咽喉炎

慢性咽喉炎是指咽部黏膜及黏膜下组织的弥漫性炎症，由急性咽喉炎反复发作演变而来。常因气候剧变，吸烟喝酒，发音过度，有害气体吸入等不良刺激引起。

①临床症状：

患者自觉咽喉干燥瘙痒，干咳或咳出少量黏痰，微痛不适，异物感，讲话乏力，声音嘶哑或完全失音，常有"清嗓"习惯。

②对症配穴：

足穴：足三里，内庭，丰隆，商丘，然谷，三阴交，隐白，太冲，涌泉，大钟，厉兑。

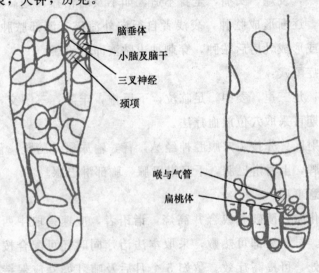

图 8-89

足反射区：先按主穴腹腔神经丛，肾，输尿管，膀胱，肾上腺，再按扁桃体，喉及气管，小脑及脑干，颈项，三叉神经。

③注意事项：

注意休息，减少讲话或避免过度讲话，保持室内温暖，空气流通。保持心情舒畅，增强体质，预防感冒，忌吸烟饮酒及避免有害气体的不良刺激。

九十、让男人更雄风

阳痿是临床上最常见的性功能障碍，是指阴茎不能勃起，或虽勃起但勃起不坚，或勃起不能维持，以致不能完成性交。分为心理性和器质性两类，大多为心理性。

①临床症状：

阳痿伴头昏眼花，倦怠乏力，腰酸背痛，失眠，出冷汗，心烦，

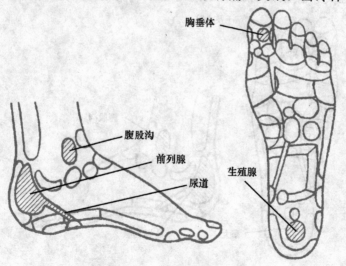

胸垂体

腹股沟

前列腺

生殖腺

尿道

图 8-90

面色萎黄。

②对症配穴：

足穴：足三里，曲泉，阳谷，三阴交，中封，太冲，太溪，复溜，涌泉，公孙，大钟，隐白。

足反射区：先按主穴腹腔神经丛，肾，膀胱，肾上腺，输尿管，再按生殖腺，前列腺，尿道，腹股沟，脑垂体。

③注意事项：

患者要消除心理障碍。

九十一、提高你的性能力

①临床症状：

早泄是行房时阴茎插入或未插入阴道而射精，导致阴茎萎软不能进行性交，伴腰酸背痛，乏力等症状，可有或无性高潮射精的

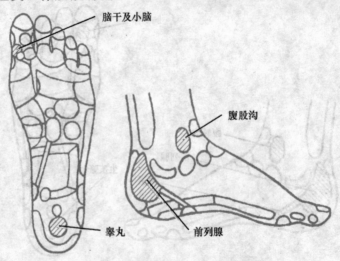

图 8-91

现象。

②对症配穴：

足穴：足三里，阴陵泉，三阴交，太溪，太冲，照海。

足反射区：先按主穴肾，输尿管，膀胱，再按脑干及小脑，列腺，睾丸，腹股骨。

③注意事项：

患者要消除心理障碍。

九十二、遗 精

遗精是未婚男子常见的生理现象，即在无性交活动的情况下发生的一种射精活动。遗精的频度个体之间差异极大。如遗精次数频繁，并出现困倦乏力等症状，属于遗精症。有梦而遗者称梦遗，无梦而遗者称滑精。

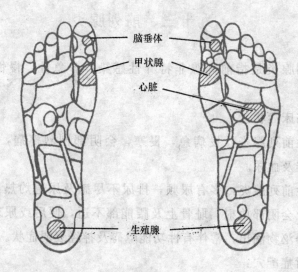

脑垂体
甲状腺
心脏
生殖腺

图 8-92

①临床症状：

可发生于睡眠状态中，亦可发生于清醒状态中。伴有腰酸背痛，头昏，耳鸣，四肢乏力，精神萎靡，心慌，易惊恐，口苦，心烦，出汗，消瘦，记忆力减退。

②对症配穴：

足穴：太冲，曲泉，三阴交，太溪，大钟，然谷，行间，太白，足三里，阴陵泉。

足反射区：先按主穴腹腔神经丛，肾，输尿管，膀胱，肾上腺，再按甲状腺，心脏，脑垂体，生殖腺。

③注意事项：

治疗期间严禁行房，注意保养，并消除思想顾虑。注意性器官卫生，不穿紧身裤。睡眠时应采取侧卧为宜。加强体育锻炼，保持乐观情绪。

九十三、前列腺炎

前列腺炎是指前列腺非特异性感染，分急性，慢性前列腺炎两种。

①临床症状：

急性前列腺炎：发病急，畏寒，会阴部剧烈疼痛，并有尿频，排尿困难及血尿。

慢性前列腺炎：多有尿频，排尿不尽感及尿道灼热，疼痛多向阴茎头及会阴部放射，耻骨上及腰能部不适，便后或尿末尿道口常有白色分泌物滴出，常伴有性功能障碍及神经衰弱症状。

②对症配穴：

足穴：曲泉，足三里，三阴交，公孙，太溪，太冲，照海，昆仑，骨，足通理，申脉，至阴，金门，涌泉。

足反射区：先按主穴腹腔神经丛，肾，输尿管，膀胱，肾上腺，再按腹股骨，生殖腺，脑垂体，尿道，前列腺，下身淋巴腺。

③注意事项：会阴部避免长期受压。每晚用温热水熏洗会阴部15-20分钟，有助于治疗。

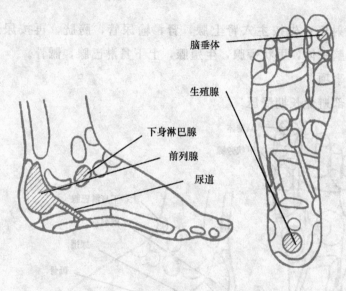

图 8-93

九十四、前列腺肥大

前列腺肥大即前列腺增生，是老年男性的常见疾病，其发病原因与内分泌平衡失调，男性激素增加有关。

①临床症状：

尿频，夜尿次数增加，排尿困难，尿线变细，尿线射程不远，排尿时间延长，严重者可出现间歇性排尿。可出现急性尿潴留，充溢性尿失禁，偶可伴有血尿。尿淋漓不尽或遗尿，残余尿量增多。

②对症配穴：

足穴：足三里，三阴交，阴陵泉，曲泉，公孙，照海，太溪，太冲。

足反射区：先按主穴肾上腺，肾，输尿管，膀胱，再按尿道，前列腺，脑垂体，甲状旁腺，生殖腺，上下身淋巴腺，骶骨。

注意事项：

会阴部避免长期受压。

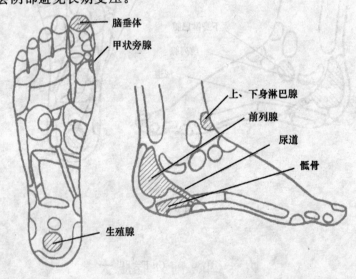

图 8-94

九十五、隐 睾 症

隐睾是指一侧或两侧睾丸未降入阴囊内者，停留于下降途中的任何部位，如腹腔，腹股沟管或阴囊上部等。

①临床症状：

阴囊的一侧或两侧发育不全，阴囊内睾丸缺如。腹股沟部可触及睾丸，并见局部隆起，为腹股沟型隐睾，如睾丸停留在腹膜后，则不能触及，为腹膜型。

②对症配穴：

足穴：足三里，三阴交，阴陵泉，地机，行间，内庭，照海。

足反射区：先按主穴腹腔神经丛，肾，输尿管，膀胱，肾上腺，再按生殖腺，前列腺，甲状腺，腹股沟，脑垂体。

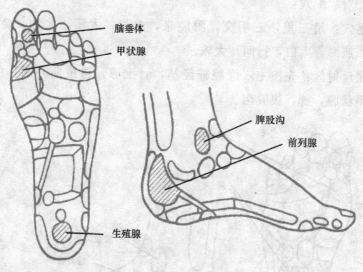

脑垂体
甲状腺
脾股沟
前列腺
生殖腺

图 8-95

九十六、睾丸炎，附睾炎

急性睾丸炎常于流行性腮腺炎，伤寒或感冒后发生，感染途径可分血行，淋巴和直接蔓延。附睾炎多见成年人，致病菌通过输精管侵入附睾而引起。常与尿道炎，前列腺炎及睾丸炎同时出现。

①临床症状：

自觉睾丸部疼痛下坠，伴高热。

急性附睾炎：多突然发病，全身发热，寒战，附睾肿大，疼痛放射至腹股沟，下腹及会阴部，局部压痛。

慢性附睾炎：有急性发病史，多为附睾尾部轻度肿大及硬结，微痛，阴囊下坠感，有时发生继发性鞘膜积液。

②对症配穴：

足穴：足三里，三阴交，阴陵泉，曲泉，太溪，太冲，金门，公孙，照海，太白，行间，大敦。

足反射区：先按主穴腹腔神经丛，肾上腺，再按前列腺，生殖腺，甲状腺，脾，腹股沟。

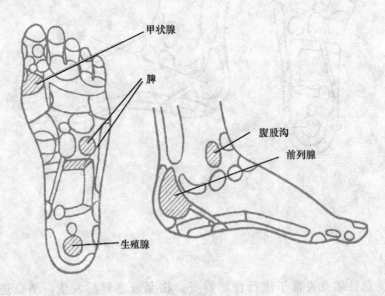

图 8-96

③注意事项：

慢性反复发作的附睾炎，应做摘除手术。附睾炎急性期要卧床休息，提高阴囊，局部可冷敷；睾丸炎要卧床休息，使用提睾带或设法抬高睾丸，有腮腺炎者应同时治疗；有脓肿应切开引流。

九十七、小儿遗尿

小儿遗尿是指 3 周岁以上的小儿，在睡眠中小便自遗，醒后方觉的一种病症。包括器质性与功能性病变。临床上遗尿及患儿常多见于兴奋，过于敏感或睡眠过熟。

①临床症状：

于半夜熟睡中，没有自主控制的排尿，膀胱一次排空，轻者数夜 1 次，重者每夜 1-2 次或更多。

②对症配穴：

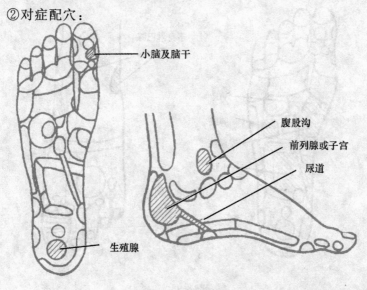

小脑及脑干

腹股沟

前列腺或子宫

尿道

生殖腺

图 8-97

足穴：阳陵泉，三阴交，血海，行间，足三里，中都，阻陵泉，太溪，照海，足通理。

足反射区：先按主穴腹腔神经丛，肾，输尿管，膀胱，再按小脑及脑干，子宫或前列腺，睾丸或卵巢，尿道，腹股沟。

③注意事项：

治疗期间，勿使患儿疲劳，兴奋过度，睡前控制饮水，夜间及时催醒排尿。

九十八、婴儿腹泻

婴儿腹泻是婴幼儿时期常见病，以2岁以内小儿居多，分为感染性与非感染性两类，以夏，秋季多见。

①临床症状：

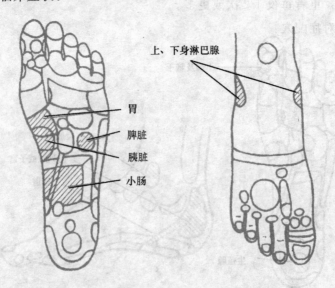

图 8-98

急性腹泻：病程在 2 周以内，患儿有溢乳，呕吐，食欲减退及腹胀等症状，便次增多，每日数次至数十次，大便呈蛋花样，水样或混有黏液，伴有不同程度的脱水及电解质紊乱，体温正常或发热。

慢性腹泻：病程在 2 周至 2 个月，常因患儿营养状态差或治疗不当引起。

②对症配穴：

足穴：足三里，公孙，三阴交，内庭，上巨虚，下巨虚。

足反射区：先按主穴腹腔神经丛，肾，输尿管，膀胱，再按胃，十二指肠，胰，小肠，脾，上身淋巴腺，下身淋巴腺。

③注意事项：

若发现脱水，酸中毒及电解质紊乱时，应及时采取中西医急救治疗。平时注意饮食卫生。

九十九、流行性腮腺炎

流行性腮腺炎是一种由腮腺炎病毒所引起的，腮腺肿痛为主症的急性传染病。可并发睾丸炎，卵巢炎和脑膜脑炎。多发于冬春季节，在小学，幼儿园易爆发流行。

①临床症状：

起病多急，腮肿，发热，头痛咽痛，食欲不振。腮腺肿大初起多为一侧，可波及对侧，腮腺边缘不清，有弹性感，轻度触痛，表面皮肤发亮，发热但不红，不化脓。

②对症配穴：

足穴：丰隆，三阴交，血海，太冲，阳陵泉，水沟，丘墟，侠溪。

足反射区：先按主穴腹腔神经丛，肾，输尿管，膀胱，再按大脑，三叉神经，额窦，腹股沟。

③注意事项：

急性期应隔离，卧床休息至肿胀消退为止。注意口腔卫生，禁食辛辣等刺激性食物。

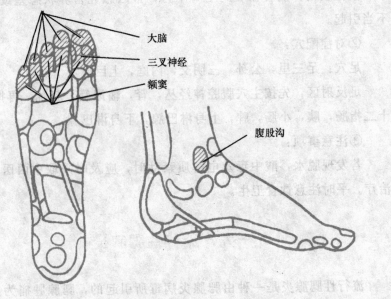

大脑

三叉神经

额窦

腹股沟

图 8-99

一○○、改善小儿的消化能力

小儿营养不良以学龄前儿童发病居多，为脾胃虚弱，对摄入的营养物质不能吸收利用，以致代谢失常，迫使机体消耗自身组织所致。以形体消瘦，精神萎靡，急躁易怒，面色萎黄，腹大脐突，青筋暴露，毛发枯燥，食欲不振，大便异常，发育迟缓为特征。根据病情可分三度。

①临床症状：

体重下降，皮下脂肪缺乏，发育不良，智力低下，其精神状态抑郁或烦躁，食欲不振，呕吐，腹泻或便秘，容易患各种感染的并发症。营养缺乏可导致各种兼症，如贫血，水肿，夜盲，干眼症，角膜软化，鸡胸，牙跟及皮肤出血等。

体重减少 15％-40％，皮肤苍白，弹性减弱甚至消失，肌肉松弛。

②对症配穴：

足穴：足三里，丰隆，上巨虚，三阴交，悬钟。

足反射区：先按主穴腹腔神经丛，肾，输尿管，膀胱，再按胃，十二指肠，小肠，脾，胰。

③注意事项：

注意饮食调理，宜食富于营养易于消化的食物，进食要定时定量，纠正偏食习惯。

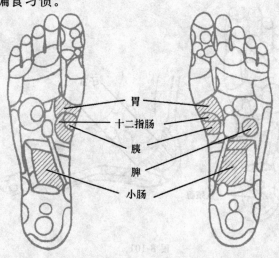

图 8-100

一〇一、改善经前期紧张综合症

经前期紧张综合征是指少数妇女在月经期前出现一系列症状如水肿，乳房胀痛，头痛，烦躁易怒，或抑郁等，以致影响工作和生活。其临床特点是周期性发作并与经期密切相关。

①临床症状：

症状一般于月经前 7-14 天出现，经前几天加重，至经期，症状减轻或消失。症状可归纳为两类。一是由于水纳潴留引起的全身水肿；二是精神神经症状。

②对症配穴：

足穴：足三里，三阴交，血海，行间，太冲。

足反射区：先按主穴腹腔神经丛，肾，输尿管，膀胱，再按生殖腺，子宫，尿道。

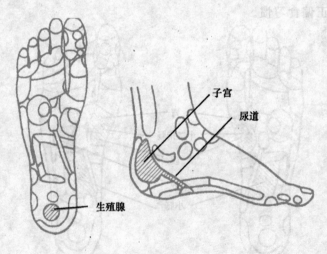

图 8-101

③注意事项：

平时坚持锻炼身体，保持精神愉快。经期避免过度疲劳及精神刺激。

一〇二、更正你的月经周期

凡是月经的周期，血量，血色和经质的异常，都属月经不调。它包括月经先期，月经后期，月经先后无定期，月经过多，月经过少，经期延长等。

①临床症状：

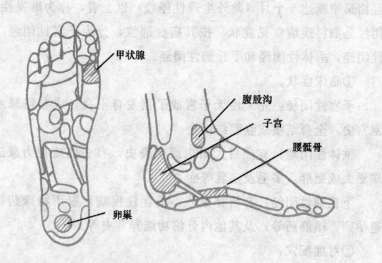

图 8-102

月经提前或错后，经血量少或量多，经色不正常，伴全身乏力，头晕，腰酸，怕冷喜暖等症状。

②对症配穴：

足穴：足三里，血海，三阴交，地机，曲泉，蠡沟，太冲，太溪，足临泣，涌泉。

足反射区：先按主穴腹腔神经丛，肾，输尿管，膀胱，肾上腺，再按甲状腺，子宫，卵巢，腹股沟，腰骶椎。

③注意事项：

注意经期卫生，少吃生冷或刺激性食品，保持心情舒畅。

一〇三、改变你的节律期

女子年满 18 岁，月经尚未来潮，称为原发性闭经；已有规则月经而又中断达 6 个月（除外生理性停经）以上者，称为继发性闭经。闭经是妇科疾病常见症状。按其病变部位，分为子宫性闭经，卵巢性闭经，垂体性闭经和下丘脑性闭经。

①临床症状：

子宫性闭经：先天性无子宫或子宫发育不良。或有粗暴或多次刮宫史，全身结核或盆腔结核史。

垂体性闭经：有产后大出血或感染史，有头痛或视力减退，肢端肥大或肥胖，多毛及泌乳等症。

下丘脑性闭经：有精神紧张，消耗性疾病，服用特殊药物（如避孕药，镇静药等）及其他内分泌功能异常史等。

②对症配穴：

足穴：足三里，三阴交，血海，丰隆，蠡沟，行间，太溪，公孙，足临泣，地机。

足反射区：先按主穴腹腔神经丛，肾，输尿管，膀胱，肾上腺，再按脑垂体，生殖腺，子宫，尿道。

③注意事项：

应积极改善营养状况及消除精神刺激。

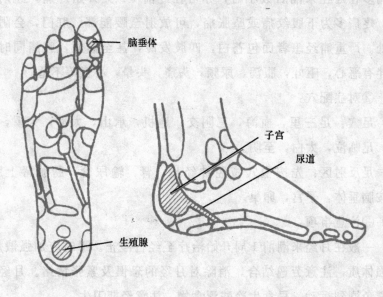

图 8-103

一〇四、拒绝痛经

凡在经期及经期前后发生明显下腹疼痛或腰骶部酸痛等不适，影响生活及工作者均称为痛经。痛经是一种临床自觉症状，而不是一种疾病。常分为原发性和继发性两种。原发性痛经多为功能性即生殖器官无明显器质性病变的月经疼痛。继发性痛经多为生殖器官有器质性病变如子宫内膜异位症，盆腔炎，宫内异物等引起的月经疼痛。本节仅介绍原发性能经的治疗。

①临床症状：

原发性痛经多发生在月经初潮后不久的未婚或未孕的年轻妇女。

疼痛多在月经来潮后数小时，亦可在经前 1-2 天开始疼痛，经期加重。疼痛多为下腹绞痛或坠胀痛，可放射至腰骶部，肛门，会阴部等处。严重痛经患者面包苍白，四肢发冷，甚至虚脱，腹痛同时还可伴有恶心，呕吐，腹泻，尿频，头痛，头晕，心慌等不适。

②对症配穴：

足穴：足三里，血海，三阴交，地机，承山，太冲，太溪，公孙，足临泣，太白，至阴。

足反射区：先按主穴腹腔神经丛，肾，输尿管，膀胱肾上腺，再按脑垂体，子宫，卵巢。

③注意事项：

一般在月经来潮前 1 周开始治疗至经行停止。平时应加强锻炼，增强体质，注意劳逸结合。消除对月经的恐惧及紧张情绪。月经期应避免剧烈运动，忌食生冷酸涩食物。注意经期卫生。

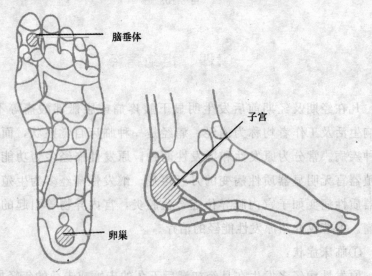

图 8-104

一〇五、更年期综合症的调适

更年期是妇女从生育期过渡到老年期的一个必经的生命阶段。更年期妇女约 1/3 能通过神经内分泌的自我调节达到新的平衡而无自觉症状，2/3 妇女则可出现一系列性激素减少所致的症状，称为更年期综合征。

①临床症状：

发病年龄多在 45-52 岁左右。

有月经紊乱，生殖器官及乳房逐渐萎缩，潮热汗出，心悸；精神过敏，情绪不稳定等临床表现。

②对症配穴：、

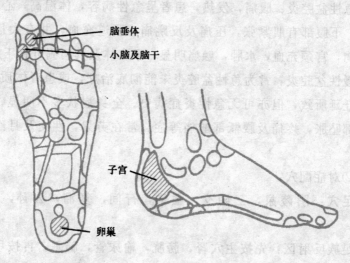

脑垂体

小脑及脑干

子宫

卵巢

图 8-105

足穴：足三里，三阴交，太冲，公孙，太溪，隐白，照海，涌泉。

足反射区：先按主穴腹腔神经丛，肾，输尿管，膀胱，肾上腺，再按脑垂体，小脑及脑干，卵巢，子宫。

③注意事项：

更年期妇女应掌握必要的更年期保健知识，以积极态度来对待。必要时，应在专科医师指导下适量补充雌激素。

一〇六、盆腔炎

女性内生殖器及其周围的结缔组织，盆腔腹膜发生炎症时，称为盆腔炎。分为急性盆腔炎与慢性盆腔炎两种。

①临床症状：

急性盆腔炎：腹痛，发热，患者呈急性病容，体温高，心率快，腹胀，下腹部有肌紧张，压痛及反跳痛。阴道充血，并有大量脓性分泌物，宫颈充血，水肿，触痛明显，子宫体及其两侧可有压痛。

慢性盆腔炎：常为急性盆腔炎未能彻底治疗，或患者体质较差，病情迁延所致，但亦可无急性炎症病史。全身症状多不明显，可有下腹部坠胀，疼痛及腰骶部酸痛等症。常在劳累，性交及月经前后加剧。

②对症配穴：

足穴：阴陵泉，三阴交，蠡沟，行间，复溜，公孙，涌泉，太冲。

足族反射区：先按主穴肾，膀胱，输尿管，脑垂，再按甲状旁腺，子宫，卵巢，尿道。

③注意事项：

经期不宜针灸。

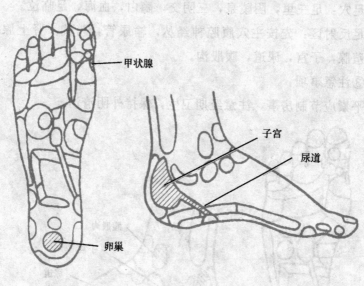

图 8-106

一〇七、预防宫颈炎

宫颈炎是指子宫颈因各种致病因素侵袭而发生的炎症。宫颈炎是生育年龄妇女的常见病,有急性与慢性两种。

①临床症状:

急性宫颈炎:白带过多,脓性,腰背痛,盆部下坠感,可伴有尿频,尿急,性交痛,亦可有轻度体温升高。宫颈充血,肿大,有大量脓性白带从宫颈口流出。

慢性宫颈炎:白带增多。因病原体,炎症范围不同,白带的量,性质,颜色及气味也不同。宫颈有不同程度的糜烂,肥大,有时质较硬,可见息肉,裂伤,外翻及宫颈腺囊肿。

②对症配穴:

足穴：足三里，阴陵泉，三阴交，隐白，血海，足临泣。

足反射区：先按主穴腹腔神经丛，输尿管，膀胱，肾上腺，再按生殖腺，子宫，尿道，腹股沟。

③注意事项：

平素应节制房事，注意经期卫生，保持外阴清洁。

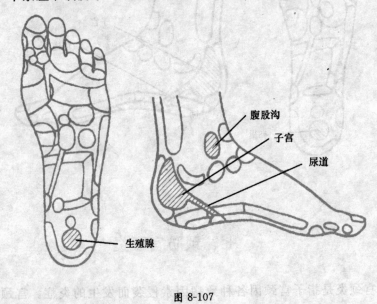

图 8-107

一〇八、改善子宫内膜异位

子宫内膜组织包括内膜的腺体及间质，若其生长在子宫腔以外的身体其他部位，称为子宫内膜异位症。此病好发于育年龄的妇女，病变常累及卵巢和盆腔腹膜。

①临床症状：

继发性痛经，进行性加重。病变若累及子宫骶骨韧带和阴道直肠隔时，疼痛常向肛门，阴道，会阴及大腿部放射。多有性交痛，不孕，月经失调。病变若累及肠道，膀胱；可出现排便及排尿异常。

②对症配穴：

足穴：足三里，血海，三阴交，太溪，太冲，照海，足临泣。

足反射区：先按主穴腹腔神经丛，肾，输尿管，膀胱，肾上腺，再按子宫，生殖腺，阴道。

③注意事项：

平时应加强锻炼，增强体质；保持心情舒畅。月经期应避免剧烈活动，注意保暖，忌食生冷油腻食品。

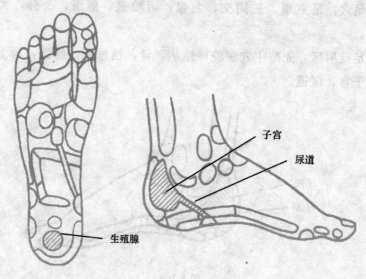

图 8-108

一〇九、预防子宫脱垂

正常子宫位于盆腔内，子宫颈外口在坐骨棘水平以上。如果子宫沿着阴道下降，子宫颈外口低于坐骨棘水平，甚至连子宫体也一起脱出于阴道口，称为子宫脱垂。子宫脱垂常伴发阴道前，后壁膨出。

①临床症状：

患者多有难产史或产褥早期体力劳动史，可见阴道内脱肿物，阴道分泌物增加，大小便困难，腰酸背痛，下腹坠胀等症。患者在用力和不用力的情况下作双合诊，有利于了解子宫脱垂的分度和有无膨出。

②对症配穴：

足穴：足三里，三阴交，曲泉，阴陵泉，照海，公孙，大敦，涌泉。

足反射区：先按主穴腹腔神经丛，肾，输尿管，膀胱，肾上腺，再按子宫，尿道。

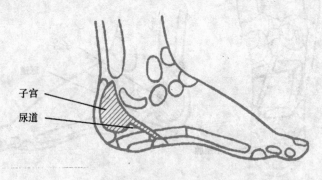

图 8-109

③注意事项：

坚持提肛肌锻炼，避免久立，负重或参加重力劳动。禁事。产后应多侧卧，防止子宫后倾。分娩后1个月内应避免做增加腹压的活动，并保持大便通畅，防止因便秘而增加腹压。

一一○、子宫肌瘤

子宫肌瘤是女性生殖器中最常见的一种良性肿瘤，由于宫平滑肌组织增生而成，其间有少量纤维结缔组织。多见于 30-50 岁妇女，以 40-50 岁最多见，20 岁以下少见。

①临床症状：

部分子宫肌瘤患者可无临床症状，另一部分患者可有子宫出血，经期延长，经量增多，月经先期或继发贫血等症。肿瘤增大可在下腹部摸到肿物。肿瘤增大后压迫附近器官可产生一系列压迫症状。

②对症配穴：

足穴：血海，三阴交，足三里，太冲，行间，复溜。足反射区：先按主穴腹腔神经丛，肾，输尿管，膀胱，肾上腺，再按脑垂体，甲状旁腺，子宫，卵巢。

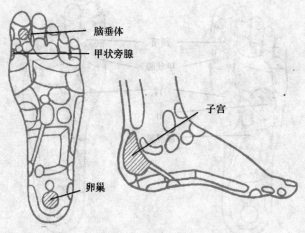

图 8-110

③注意事项：

防止肿瘤增大或变性。若为黏膜下肌瘤则必须手术治疗。避免服用雌激素类药物。

———一、有效防止妊娠剧吐

当孕期恶心呕吐持续较重，呕吐频繁，不能进食，致水，电解质失衡及营养障碍时称为妊娠剧吐。

①临床症状：

早孕伴有频繁呕吐，食入即吐，吐出物为所进食物，甚至胆汁或有咖啡渣样物。孕妇消瘦，疲乏无力，面色苍白，眼眶下陷，皮肤弹性差，脉搏加快，重者可出现黄疸。

②对症配穴：

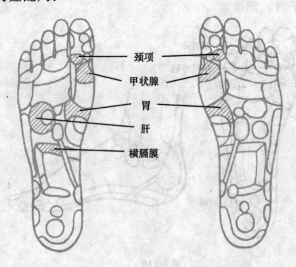

颈项
甲状腺
胃
肝
横膈膜

图 8-111

足穴：足三里，阴陵泉，丰隆，三阴交，公孙，太冲。

足反射区：先按主穴腹腔神经丛，肾，输尿管，膀胱，肾上腺，再按甲状腺，颈项，肝，胃，横膈膜。

③注意事项：

对妊娠剧吐患者应给予安慰，解除其焦虑情绪。呕吐停止后，可少量多次进食营养丰富，易消化的食物。若进食量不足，应适当补液。

一一二、调适胎位不正

胎位不正是指胎儿于 30 周后在宫体内位置不正而言。胎位异常是造成难产的常见因素之一。

①临床症状：

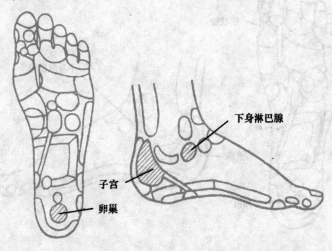

子宫
卵巢
下身淋巴腺

图 8-112

分娩时正常胎位应是枕前位，其余均属胎位异常。B 超检查及产前检查有利于诊断。

②对症配穴：

足穴：三阴交，至阴，京骨，飞扬，隐白，太白，三阴交。

足反射区：先按主穴肾，输尿管，膀胱，肾上腺，再按子宫，卵巢，下身淋巴腺。

——三、增强产育能力

滞产是指产妇临产后总产程超过 24 小时者，是指异常分娩中的产力异常。

①临床症状：

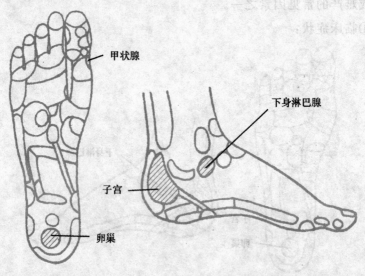

图 8-113

子宫收缩不规律，强度，频率等发生异常改变。宫颈口不扩张，胎先露不下降。产程延长。

②对症配穴：

足穴：三阴交，至阴，独阴。

足反射区：先按主穴肾，输尿管，膀胱，肾上腺，再按巢，子宫，甲状旁腺，下身淋巴腺。

③注意事项：

产妇临产时精神要放松，临产前按摩足反射区可防止滞产。

——四、疏导心情

产后缺乳是指因身体素虚，情志抑郁所致的产后乳腺分泌的乳汁量少，甚至全无。

①临床症状：

产后分泌的乳汁量少，甚或全无，不足喂养婴儿；乳，房柔软，无胀痛感。

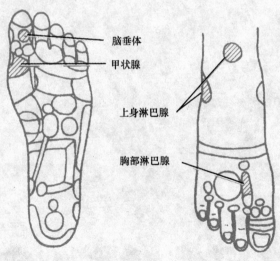

图 8-114

②对症配穴：

足穴：足三里，三阴交，曲泉，丰隆，复溜，太冲，公孙，大敦。

足反射区：先按主穴腹腔神经丛，肾，输尿管，膀胱，肾上腺，再按甲状腺，脑垂体，胸部淋巴腺，下身淋巴腺。

③注意事项：

注意哺乳方法，多食鲫鱼汤，猪蹄汤等。保证足够的休息与睡眠，避免精神刺激。

第9章　如何保持你的足部健美

一、保持足部的良好外形

①购买合脚的鞋子。在购鞋时，最好是在傍晚时去买鞋子，而且要两只脚都要试穿，试穿时不要有侥幸心理，认为鞋子穿一段时间就会被撑大，但是也许在你把鞋子撑大之前，你的双脚就已经受到了伤害。应避免穿用合成材料制成的鞋子，因为合成材料做成鞋子不能透气，会引起脚癣等细菌感染。合适的鞋子应该是在你站立时，鞋头离开大脚趾有一指大的空间，使每个脚都有充分活动的空间。

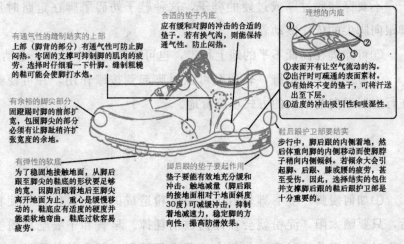

有通气性的缝制结实的上部
上部（脚背的部分）有通气性可防止脚闷热。牢固的支撑可抑制脚的肌肉的疲劳。选择时仔细看一下针脚。缝制粗糙的鞋可能会使脚打水泡。

合适的垫子内底
应有缓和对脚的冲击的合适的垫子。若有换气沟，则能保持通气性。防止闷热。

理想的内底
①表面开有让空气流动的沟。
②出汗时可疏通的表面素材。
③有始终不变的垫子，可将汗送出至下层。
④适度的冲击吸引性和吸湿性。

有余裕的脚尖部分
固蹬踏时脚的前部扩宽，包围脚尖的部分必须有让脚趾稍许扩张宽度的余地。

鞋后跟护卫部要结实
步行中，脚后跟的内侧着地，然后体重向脚的内侧移动而使脚脖子稍向内侧倾斜。若倾余大会引起脚、后跟、膝或腰的疲劳，甚至受伤。因此，选择结实的包住并支撑脚后跟的鞋后跟护卫部是十分重要的。

有弹性的软底
为了稳固地接触地面，从脚后跟至脚尖的鞋底的形状要足够的宽。因而脚后跟着地后至脚尖离开地面为止，重心是缓慢移动的，鞋底应有适度的硬度并能柔软地弯曲。鞋底过软容易疲劳。

脚后跟的垫子要起作用
垫子要能有效地充分缓和冲击。触地减量（脚后跟的接地面相对于地面斜度30度）可减缓冲击，抑制着地减速力，稳定脚的方向性，提高防滑效果。

步行鞋的选择要点

②尽可能地不穿高跟鞋。高跟鞋会对脚趾头施加很大的压力，这种压力会引发襁子。

③平时应注意双脚的干燥和清洁。如果你脚部汗多，可以使用玉米粉做干燥剂，放于鞋内，作吸收汗液使用。要经常修剪脚趾甲。

④避免双脚过分干燥。如果你的双脚容易干燥，应适当地涂一些凡士林或其他润肤膏，使脚部的皮肤保持润滑。

二、护理你的足底皮肤

①每天洗脚之后涂抹适当的润肤膏，进行适量的足部自我按摩。可保持足部皮肤平滑柔软。也可每周彻底地修脚一次。

②要经常（最好每天都）换洗袜子和鞋子。

③用冷热水交替洗脚可缓解和消除足部疲劳及治愈冷脚。

④注意鞋子的用料，以对足弓有支持作用为宜。不要全天穿靴子，不要穿鞋底过厚或过硬的鞋子，这种鞋子妨碍了脚在走路时从脚跟向脚尖的依次滚动着地。

⑤可赤脚在高低不平的地上行走，也可赤脚在家中地板上走动。

⑥可经常穿轻便鞋，轻便鞋可以对脚起到按摩作用，并可使脚在行走时以向前滚动的方式正确着地。

三、使你的双脚纤秀健康

①如何瘦脚：萝卜脚是由于食用淀粉造成的，在人体吸收淀粉后，只要晒太阳，淀粉就会在体内被消耗掉。早餐和午餐吃淀粉类食物对人体没什么妨碍，如果在晚餐食用淀粉，就会使体发胖。所以晚餐应尽可能地少吃淀粉类食物。

②如何美脚：脚部的体毛比较难看，有碍观瞻。如何去除脚部体毛，首先要在需脱毛的部位涂上乳液，然后再把腊涂在上面，使用竹片从体毛的前方向划一个长 7-10 厘米，宽 5-6 厘米的椭圆形，以迅速的动作涂抹，等到腊凝固到一半的时候，开始剥离。脱毛后，须涂上具有杀菌作用的乳脂用作消毒。

③如何健脚：穿高跟鞋走路的步法，会令人感到不舒服，当你穿高跟鞋走路时，不要像穿平底鞋一样发出叭哒叭哒的声音。当你走路的时候，应该伸长下腹部如同抬高臀部似的，使用腰部以下的部分走路，上身自然就会伸直，而形成良好的姿态。走路时，把脚趾尖稍微向外，由脚趾先着地走路。

④如何香脚：平时注意脚的清洁卫生。沐浴时，脚趾要洗得很干净，沐浴后可在脚趾上搽一些爽身粉。鞋子要选择透气性好的，可以把鞋子经常放到阳光下照射下以除去湿气。饮食要尽量选择比较清淡的食物，减少酸性食物和盐分的摄取量。袜子选用具有良好吸水性的纯棉制品，坚持每天换洗袜子。

四、预防足部疾病

①鸡眼：鸡眼是指各脚趾之间皮肤的软增厚，或是在足骨凸出部分上的皮肤增厚。通常是锥形，锥尖压入脚部组织，触摸或挤压时鸡眼非常疼痛。可以通过使用水杨酸硬膏，或者看足医以手术切除鸡眼。不可自己剔除鸡眼，剔除时如消毒不好可导致非常严重的感染。可以通过穿合适的鞋子和减少对双脚任何凸出部分的压力，来预防鸡眼的产生。

②胼胝：胼胝是指人体任何部位受到压力或摩擦时皮肤变厚的现象。当脚弓向下塌陷的时候，会在脚掌部位形成胼胝，产生槌趾和拇

囊炎。可以通过穿合适的鞋子来预防胼胝的发生。也可用40%的水杨酸硬膏治疗胼胝，在硬膏上面用毡布覆盖上，以免胼胝再次受压。

③嵌甲：当趾甲附近的组织压迫到趾甲边缘，而趾甲又剪得太短时，就会导致嵌甲。如果这一部位受到感染，就会使脚趾肿胀，产生疼痛。可通过把脓肿刺破，把浓引流出来，并用中药浸泡患部，同时服用抗生素。

治嵌甲的中药配方：野菊花30克，蒲公英30克，地丁30克，大青叶15克，金银花15克。煎水洗脚。

④槌状趾：脚趾变得固定在一个弯曲的位置上称为槌状趾。脚趾趾尖及弯曲部位，由于经常摩擦鞋子，形成胼胝。妇女患槌状趾多因穿太短或太紧的袜子或弹力袜，引起脚趾下弯上翘所致。可穿特制或有袜垫子的鞋子，以减轻对槌状趾的压力。当脚的畸形引起疼痛或丧失活动能力时，需进行外科手术治疗。

⑤足跖疣：足跖疣多是由病毒所引起的，其生长在脚底上，皮肤明显增厚。如何来去除这种足跖疣而尽可能地不留伤疤呢？如留有伤疤的话可能有时会比先前的更痛。水杨酸硬膏可以治疗足跖疣，需每天换药数次，数星期后，疣就会消失。

⑥脚癣：脚癣也叫"运动员脚"，但不一定是因为运动所引起的。中老年妇女在夏季常患此病。此病是因当脚趾受热或潮湿时，脚趾间生长的霉菌引起感染所致。感染可引起发痒的鳞状损害，有时会引起疼痛的裂隙，双脚出现干裂，还可能出现血裂口而被感染的危险。

⑦足跟骨刺：足跟骨刺是指脚后跟下面的疼痛。多由足跟部筋膜的炎症或增生的跟骨突入组织内部所引起。持续长时间站立或行走的人也常有本病发生过。把脚后跟适当抬高，可以因减少对跟骨的压力而减轻和缓解症状。用脚后跟踩擀面棍可以有效地治疗本病，也可用川芎30克研成细末，装于袋内踩在足跟下的方法来治疗。